KB139576

스무 개의
동화 간이역

스무 개의
동화 간이역

김신애	박지은	송민정	김가영
박미리	이수혜	조민정	서영지
최진희	함유정	권대성	정진아
우 렁	임연아	白,달밤	임초롱
안시우	조미소	고현서	변민영

이오앤북스-i

『스무 개의 동화 간이역』 출간을 축하하며

　단편 동화집 『스무 개의 동화 간이역』은 동화를 사랑하는 분들이 동화 쓰기에 도전하여 처음으로 써본 작품들을 한 권의 책으로 묶어 낸 것입니다. 첫 시작은 『동화작가 안내서』 책의 크라우드 펀딩이었습니다. '동화'에 관심과 호기심을 가진 분들이 크라우드 펀딩에 참여해 주셨고, 1,573%의 후원 목표를 달성하며, 필자가 써낸 창작실용서 『동화작가 안내서』(김경옥 글/ 이오앤북스) 책이 무사히 발간될 수 있었습니다.

　후원자들은 발간 후원에만 그치지 않고 『동화작가 안내서』 책의 창작 방법을 바탕으로 실제로 7주간의 동화 쓰기 수업 과정에 참여하였습니다. 5개 반에 각각의 담임 멘토(곽지현, 김미경, 김민정, 남유미,

박수현)와 필자가 함께 창작 수업을 이끌면서 첫 동화 쓰기에 도전하
도록 하였습니다.

의외로 많은 분이 동화에 관심을 두고 있었는데, 다들 동화 쓰기는
처음이었습니다. 그들은 한결같이 '이게 될까?', '내가 진짜 동화를 완
성할 수 있을까?' 하는 의문을 품은 채, 첫 시작은 그저 망설임과 글쓰
기에 대한 두려움뿐이었습니다. 하지만 안개 속에서 헤매는 것 같던
막막함과 두려움은, 시간이 지남에 따라 안개가 걷히고 환한 빛줄기
를 따라 한발씩 내디뎠습니다. 그 발걸음은 어느새 창작의 즐거움으
로 바뀌어 갔고, 마침내 열정적으로 한 편의 동화를 완성해 갔습니다.

'동화'에 관심을 가지게 된 것도 어쩌면 우연한 호기심의 시작일 수
도 있습니다. 하지만 동화 쓰기 과정을 경험하면서 이들은 한결같이
말합니다. 한 편의 동화를 쓰는 과정은 고통스러우면서도 나에 대한
재발견이며, 짜릿한 경험이고, 헤어 나올 수 없는 묘한 매력이었다고
요. 이런 매력에 이끌려 무사히 동화 한 편을 완성했고 첫 도전은 희
열과 성취감을 안겨주었습니다.

작가가 되겠다는 원대한 생각보다는, 그저 동화가 좋아서, 또는 자
신의 마음을 힐링하고 싶어서, 또는 태어난 조카를 위해, 내 아이를
위해 동화 쓰기에 도전하였습니다. 이 책에 작품이 실린 분들은 우리

사회의 각 분야에서 다양한 일을 하는 회사원, 주부, 선생님, 사회복지사, 방송작가, 초등학생까지 다양한 사람들로 구성되어 있습니다. 그렇기에 이제껏 살아온 삶의 경험도 제각각이며 동화의 빛깔도 다양합니다.

이 동화집에는 스무 편의 이야기가 실려있습니다. 자신의 숨은 역량을 끌어모아 완성도를 높이고 수십 번 고치는 노력 끝에, 첫 작품이라고 믿어지지 않을 만큼의 좋은 작품들로 결실을 이루었기에, 그동안 안일한 자세로 글쓰기를 해온 기성작가들을 긴장시킵니다.

동화 쓰기에 매력을 느낀 분들은 한 발 더 나가 이젠 '등단'이라는 도전장을 내밀며 '또 한 번의 도전'을 하고 있습니다.

어떤 분야 건 대중의 관심이 높아져 층이 두터워지면 건강한 생태 환경이 된다고 믿습니다. 우리 동화도 마찬가지입니다. 동화를 쓰는 사람들이 많아지고 동화의 다양성이 존재할 때 동화 장르는 더 발전하고 전 세계를 놀라게 할 훌륭한 작품이 나올 것입니다. 앞으로는 K 동화의 시대가 열릴지도 모릅니다. 전 세계가 우리 동화에 열광하는 날이 곧 올 거라고 믿습니다. 전 국민이 동화를 쓰면서 동심을 되찾기를 바랍니다. 동심으로 하나 될 때 이 세상은 더 아름답고 따스한 세상이 될 테니까요.

이제 스무 빛깔의 영롱한 이야기 속으로 푹 빠져 동심을 되찾는 소중한 시간이 되시길 바랍니다. 다양한 주인공들이 겪는 재미있는 이야기들을 동화 열차에 싣고 달려갑니다. 스무 개의 간이역에 열차가 설 때마다 선물 같은 이야기들이 살포시 내려져 있습니다.

　그리고 스무 개의 간이역을 다 지나고 나면 저절로 행복한 내가 되어 있을 것입니다.

- 동화작가 김경옥 추천사

목 차

포포가
전해준 선물

김신애

김신애

경기도 광주에서 태어났습니다. 대학 및 대학원에서 사회복지학을 공부하였으며, 사회복지 현장에서 일하고 있습니다. '꾸밈이 없고 유연하며 바른' 아이들의 품성을 닮고 싶어서 동화를 쓰기 시작하였습니다. 사람들의 마음속 이야기를 들려주는 글을 짓고 싶습니다.

포포가 전해준 선물

학교 수업이 끝나고 슬기가 집에 다다랐을 때, 아빠한테 전화가 왔다. 갑자기 일이 생겨 집에 늦게 들어온다고 했다. 슬기는 메고 있던 가방을 평상에 툭 내려놓았다. 며칠 전까지만 해도 기다렸던 생일이었다. 하지만 기대와 달리 쓸쓸한 생일이 되고 말았다.

'미역국도, 생일 케이크도 없는 생일이라니….'

슬기는 눈물이 찔끔 나왔다. 그때였다. 하얀 가오리 한 마리가 하늘을 날다가 눈 깜짝할 사이에 사라져 버렸다.

'말도 안 돼, 내가 지금 뭘 본거지?'

샤샤삭 샤샤삭. 알 수 없는 소리가 어디선가 들려왔다. 슬기는 눈을 비비며 두리번두리번 집 둘레를 살폈다. 아무도 없었다. 얼마 전 유튜브에서 봤던 UFO가 불현듯 떠올랐다.

'설마 외계인이 온 건 아닐까?'

슬기는 자기도 모르게 몸이 움츠러들었다.

바로 그 순간, 무언가가 간질간질 슬기의 다리를 타고 올랐다. 슬기는 화들짝 놀라 소리를 질렀다.

"엄마야!"

회갈색의 자그마한 털 뭉치가 단숨에 슬기의 목덜미까지 오르더니, 이번엔 말을 걸었다.

"안녕! 꼬마 친구!"

슬기의 온몸에 소름이 쫙 돋았다.

"누, 누구세요?"

"나는 하늘다람쥐 포포야."

경쾌한 목소리가 귓가에 울렸다.

"많이 놀랐구나! 두 손을 이렇게 모아줄래?"

슬기는 얼떨결에 포포가 시키는 대로 손바가지를 만들었다. 하늘다람쥐가 팔을 타고 쪼르르 손바닥으로 내려왔다. 보송보송한 회갈색 털과 길고 납작한 꼬리가 보였다. 하늘다람쥐는 코를 벌름거리고, 고개를 갸웃거리며 슬기를 쳐다봤다. 새카맣고 커다란 눈은 보석처럼 예뻤다. 어느새 무서움은 사라졌다. 손바닥만 한 이 작고 귀여운 손님이 궁금해졌다.

'나한테 동물 말을 알아듣는 초능력이 있는 건 아닐까? 꿈을 꾸고 있는 건 아니지? 말을 하는 하늘다람쥐가 우리 집에 오다니!'

"포포라고? 궁금한 게 있어. 우리 집에 왜 온 거야?"

"너를 만나러 왔어. 전해줄 게 있어서."

"응? 그게 뭔데?"

"내가 사는 소금빛산 숲에 같이 가볼래? 그럼 곧 알게 될 거야."

포포는 맑은 눈을 깜빡거리며 말했다.

"뭐? 소금빛산에 가자고?"

슬기는 엄마가 돌아가신 날의 다짐을 떠올렸다.

'나는 절대 소금빛산에 올라가지 않을 거야!'

슬기네 가족은 일 년 전, 소금빛산이 둘러싸고 있는 양지마을로 이사 왔다. 엄마가 큰 병에 걸리자, 서울 생활을 급하게 정리하고 산골마을에 터를 잡았다. 이사 온 날, 아빠는 말했다.

"여기에 살면 엄마가 우리 곁에 오래 머물 거란다."

하지만 석 달 전, 슬기가 학교에 갔다 돌아오니 집에 아무도 없었다. 엄마가 갑자기 쓰러져, 구급차를 타고 응급실에 실려 갔다고 했다. 그리고 그날 하늘나라로 떠나셨다.

엄마는 소금빛산 숲을 정말 좋아했다. 엄마가 아카시아 줄기를 꼬아 머리에 파마를 해준 기억도 생생했다. 열세 번째 생일에는 산에 올라 생일 파티를 해준다고 약속하였는데…. 슬기는 소금빛산을 생각하면 엄마 생각이 나서 마음이 아렸다. 그래서 더는 그곳에 가지 않기로 마음먹었다. 그런데 불쑥 나타난 하늘다람쥐 때문에 마음이 흔들리고 있었다. 어떻게 해야 할지 몰랐다. 슬기는 고개를 숙이고 포포의 눈을 피했다.

포포는 슬기의 대답을 듣기도 전에 슬기 몸을 휘감고 내려가며 말했다.

"나랑 같이 가면 후회하지 않을 거야!"

포포는 벽을 타고 순식간에 지붕 꼭대기에 올랐다. 그러더니 도움닫기를 하며 크게 외쳤다.

"커져라, 커져라 얍!"

포포가 날개막을 활짝 펼치고 하늘로 뛰어 활공했다. 그 순간 갑자기 회오리바람이 불어 포포를 감쌌다. 햇빛이 포포를 향해 광선처럼 쏟아졌다. 포포의 몸은 코끼리처럼 커졌다. 슬기는 신비한 광경을 넋을 잃고 바라보았다.

"내 등에 얼른 올라타."

"어? 어어."

어느새 포포가 슬기네 집 앞마당으로 내려와 있었다. 슬기는 얼떨결에 포포의 등에 올라탔다.

"나를 꽉 잡아야 해!"

포포는 집 앞 전봇대 꼭대기에 올랐다. 뒷발로 힘 있게 전봇대를 밀어내며 하늘 위로 뛰어올랐다. 그 순간 포포의 날개막은 마치 요술 양탄자처럼 넓고 평평하게 펴졌다. 길고 납작한 꼬리는 균형을 잡아줬다. 휘익 휙휙 포포가 바람을 타는 소리가 귓가에 울렸다. 슬기의 몸에도 청량한 바람이 닿아 시원하게 부서지고 있었다. 슬기는 포포와 한 몸이 되어 하늘을 날고 있었다.

"기분이 어때?"

"최고야!"

슬기는 신이 나서 크게 외쳤다. 온몸의 세포들이 모두 일어나 춤추고 있는 것 같았다.

지평선 너머 아름답고 울창한 소금빛산이 보였다. 포포와 슬기가 도착한 깊은 숲속에는 풀과 나무가 우거져 있었다. 포포는 어느새 손바닥만 한 모습으로 돌아와 날렵하게 슬기의 어깨에 올라탔다.

"저리로 쭉 걸어가 보자."

"응."

슬기는 포포가 가리키는 곳으로 발걸음을 내디뎠다. 한참을 걸어 맑은 옹달샘을 지나자 나무 위에 박새 가족이 보였다. 어미가 둥지를 트고 새끼에게 먹이를 주고 있었다.

"너희 엄마, 아빠도 만나는 거야?"

"아, 아니. 지금은 볼 수 없어. 돌아가셨거든…."

포포는 길 안내를 잠시 멈추고 말을 꺼냈다.

"우리 가족은 여기서 멀리 떨어져 있는 청정산에서 살았어. 깊고 오래된 숲이 있었지. 참나무, 소나무들이 무성하고 촬촬촬 시원한 물이 풍성하게 흘렀어. 참 행복했어."

"그런데 어느 날 드륵드륵, 쿵쿵 요란한 소리가 들렸어. 높은 하늘에서 이 광경을 가장 먼저 목격한 새들이 소리쳤지."

"사람들이 숲을 파헤친다. 어서 도망가 어서!"

"기계들은 크고 날카로웠어. 나무들은 하나둘씩 잘려 나가 쓰러지고, 꽃들은 짓밟혔지. 동물들은 살기 위해 도망갔어."

"그러면 포포네 가족도 도망가야 했던 거야?"

슬기는 눈이 동그래져서 침을 꿀꺽 삼켰다.

"응. 우리 가족은 숲을 떠나고 싶지 않았어. 하지만 어느 날부터인가 폭탄이 터지기 시작했어. 숲 전체가 통째로 없어졌지. 엄마, 아빠는 발을 동동 구르며 피할 곳을 찾아다녔어. 그러다가 사람들이 설치해 놓은 통신장비를 발견했어. 그러고는 엄마, 아빠가 통신장비 구멍 사이로 나를 집어넣었어. 먹을 음식을 찾으러 나간다고, 조금만 기다리라고 했는데…. 그날이 마지막이었어."

슬기는 뭐라고 포포를 위로해야 할지 잘 생각나지 않았다. 포포는 사람들 때문에 가장 소중한 것을 잃었다.

"미안해. 정말 미안해."

"네 잘못은 아니야. 욕심 많은 사람들 때문이지."

포포는 따뜻한 눈빛으로 슬기를 쳐다보았다.

둘은 어느덧, 좁다란 오솔길을 지나 자작나무 숲에 이르렀다.

"내가 사는 곳이야. 여기서 자작나무 껍질, 꽃차례도 먹어. 나무를 타고 하늘을 날며 놀기도 해."

"와, 여기가 포포네 집이구나!"

슬기는 저절로 탄성을 지르며 숲을 둘러보았다.

자작나무들은 하늘을 향해 곧게 뻗어가고 있었다. 푸른빛과 하얀빛을 뿜어내며 빛났다. 새들은 경계심 없이 슬기와 포포 사이로 날아다

넀다. 가던 길을 멈추고 포포와 슬기를 쳐다보는 토끼들도 보였다. 쩍쩍 새들의 노랫소리, 맴맴 매미들의 울음소리, 어디선가 바위를 치며 떨어지는 물소리가 관현악 연주처럼 어우러졌다.

자작나무 숲은 마치 소금빛산의 비밀공간 같았다. 슬기는 마치 꿈을 꾸고 있는 것 같았다.

포포는 자작나무 한 그루의 몸통 위로 재빨리 올라갔다. 그 자작나무는 아직 어린나무였다. 하지만 용감하게 하늘을 향해 팔을 벌리고 있었다. 자작나무가 햇빛과 뒤엉켜 빛나면서 슬기는 눈을 뜨기 어려웠다.

포포는 자작나무 줄기를 빙빙빙 휘감고 돌아, 나무 꼭대기에서 크게 외쳤다.

"짜잔, 생일 축하해! 이 나무는 슬기 나무야!"

"슬기 나무? 내 나무?"

슬기는 포포가 갑자기 무슨 말을 하는지 몰라 어리둥절했다.

'포포가 내 생일을 어떻게 알았을까….'

이때 포포가 나무줄기를 타고 휘리릭 내려와, 씨익 웃음 지었다.

"슬기네 엄마는 내 생명의 은인이야. 야생동물치료센터에서 슬기네 엄마가 나를 살려주었어. 그리고 이 나무는 너를 위한 깜짝 선물이라고 하셨어."

"너, 우리 엄마를 만났어?"

"응. 나는 통신장비에서 갇혀 있었어. 어느 날 통신장비를 철거하던 사람들이 끽끽 내 울음소리를 들었어. 그리고 나를 야생동물치료

센터에 데리고 갔지. 거기서 수의사인 슬기네 엄마를 만났어."

슬기는 포포가 엄마를 만났다는 말에 깜짝 놀랐다. 포포는 말을 이어 나갔다.

"슬기네 엄마는 나를 포근하게 안아주었어. 밤을 새우며 나를 정성껏 돌봐주었지. 나무 열매도 먹여주고, 숲에서 채집하는 방법도 알려주었어. 그리고 내가 나무 위를 뛰어 올라갈 수 있을 때가 되자, 소금빛산에 데려다주었어."

"정말 신기해. 포포가 우리 엄마를 만났다니! 그리고 또, 또, 엄마이야기 더해줘!"

슬기의 눈이 반짝반짝 빛났다.

"놀라운 일이 일어났어. 어느 날 여기서 나 혼자 비행 연습을 하고있었어. 어디선가 익숙한 냄새를 맡았는데, 아는 목소리가 들려왔어."

그날 슬기네 엄마는 자작나무의 하얀 몸통을 어루만지며, 흐뭇하게미소 짓고 있었다.

"아름다운 자작나무야! 너의 이름을 슬기 나무로 해도 되겠니? 우리 슬기도 너처럼 곧고 단단하게 컸으면 해. 너는 슬기에게 주는 비밀생일 선물이야."

"슬기네 엄마였어. 소금빛산 자작나무 숲에서 우리가 다시 만난 거야. 슬기네 엄마는 슬기의 생일 파티를 준비하러 산에 올랐어. 그런데언제부터인가 숲에서 만나질 못했어."

"응. 우리 엄마가 많이 아파서 응급실에 실려 갔어. 작별 인사도 못

하고 하늘나라에 가셨어."

슬기는 슬픈 눈빛으로 먼 곳을 바라봤다.

"슬기야, 이 하얀 나무껍질이 참 단단해 보이지 않니? 자작나무는 씩씩해. 썩지도 않고, 추운 겨울에도 잘 견뎌. 힘들어도 빛을 따라 하늘을 향해 높게 뻗어나가지. 그렇게 자작나무 숲을 이루는 거야."

포포는 슬기를 다정하게 바라봤다. 나뭇가지와 나뭇잎이 바람에 흔들려, 하늘에 그림을 그리고 있었다. 슬기는 자작나무 몸통을 천천히 쓰다듬었다. 슬기의 손이 엄마의 손길과 맞닿는 것 같았다. 어린나무였지만 단단함이 느껴졌다.

"너의 마음은 단단해. 날 살려주신 슬기네 엄마처럼 말이야. 너한테 엄마의 비밀 선물을 전해주고 싶었어. 엄마도 기뻐하실 것 같아서."

"사실, 나는… 마음이 힘들어. 매일매일 엄마가 보고 싶어."

"응. 지금은 한겨울처럼 마음이 춥지? 하지만 슬기는 언젠가 하늘 높이 뻗어나가고 푸른 숲을 이룰 거야. 너의 마음은 엄마의 마음과 이어져 있거든."

슬기는 몇 개월 동안 엄마 이야기를 하지 않았다. 엄마 얘기를 꺼내면 눈물이 터져 나와 멈추지 않을 것 같았다. 그래서 마음을 꾹꾹 눌렀는데…. 포포와 얘기를 나누며, 가슴속에 뒤엉켜 있던 무언가가 북받쳐 올라왔다. 마음속에 자리 잡은 그리움의 수증기가, 따뜻한 햇볕을 만나 비가 된 것만 같았다. 슬기의 두 볼에서 뜨거운 눈물이 흘러내렸다.

하늘은 어느새 보랏빛으로 물들고 있었다. 붉은 구름은 새의 깃털처럼 하늘하늘 흩어졌다. 포포와 슬기는 황홀한 풍경에 포물선 하나를 수놓으며 슬기네 집에 도착했다.

"나는 이제 돌아가야 해."

포포는 슬기 어깨에 올라와 작별 인사를 했다.

"조금만 더 있다 가면 안 되는 거야?"

슬기는 포포의 보드라운 털을 쓰다듬었다.

"소금빛산에 놀러 와! 슬기 나무가 잘 자라는지 지켜봐 줘. 내가 기다릴게."

"응. 이번 주 토요일에 아빠랑 소금빛산에 꼭 갈 거야!"

포포는 슬기네 집 지붕 꼭대기에 단숨에 뛰어올라 하늘 위로 활공했다. 이내 노을 진 지평선 너머로 홀연히 사라졌다.

"포포야, 안녕. 잘 가!"

슬기는 하늘을 향해 두 손을 흔들며 힘껏 외쳤다.

"고마워 포포야!"

어느덧 하나둘 작은 별들이 푸르게 반짝이고 있었다.

봄을 달리는
두근두근 열차

박지은

박지은

생각이 많고 고민이 깊고 망설임이 익숙한 사람입니다. 그래서인지 정말 엄두가 나지 않는 일에는 차라리 나를 던져버리곤 하는데요. 경험상 그런 이상한 용기를 낸 끝은 늘 좋았습니다. 눈 딱 감고 낙하한 이 결과물이 새로운 시작이 될 수 있기를 바라며 두근두근 열차 출발합니다.

봄을 달리는 두근두근 열차

참 이상한 일입니다. 버들이는 분명 자기 방 침대에서 잠이 들었는데 눈을 떠보니 분주히 움직이는 사람들의 다리가 보입니다. 버들이는 몸을 일으켜 자신이 누워있던 벤치에 앉아 잠시 생각에 잠겼습니다.

'내가 왜 여기 있지? 여기는 어디야?'

버들이는 일어나 사람들을 쫓아가기 시작했습니다. 흐릿하게 보이던 사람들은 또래로 보이는 아이들이었습니다. 이내 열차 한 대가 들어오고 아이들이 열차에 올라타기 시작했습니다. 버들이도 앞서가던 남자아이를 따라 열차에 올라탔습니다. 버들이가 열차에 오르는 순간 열차는 덜컹 소리를 내며 앞으로 움직이기 시작했습니다. 당황한 버들이는 다급하게 객실로 들어가 빈자리를 찾아 앉았습니다. 그러고는 떨리는 마음을 진정시키려는 듯 창밖을 봤습니다. 선로 양옆으로는 화사한 벚꽃 나무가 줄지어 서 있었습니다. 그 사이를 열차가 지나가자 벚꽃잎들이 하얀 눈처럼 쏟아지며 환상적인 풍경이 펼쳐졌습니다. 버들이는 입을 다물지 못한 채 창밖 풍경을 바라봤습니다.

"정말 아름답다!"

그때 객실 스피커에서 지지직거리는 소리가 나더니 안내 방송이 들려왔습니다.

"이 열차는 잠시 후 터널에 진입할 예정입니다. 터널 진입 후에는 감정이 요동칠 수 있으니 승객 여러분께서는 유의해 주시길 바랍니다."

버들이는 소리가 난 스피커 쪽을 의아한 눈으로 바라보며 고개를 갸웃거렸습니다.

그러는 사이 열차는 터널로 진입했고 벚꽃이 눈처럼 내리는 황홀한 풍경도 사라졌습니다. 캄캄한 터널 속, 눈앞에 익숙한 벽지 무늬가 아른거리자 버들이는 눈을 번쩍 떴습니다.

'아… 꿈이었구나.'

설렘

이상한 꿈을 꾼 날은 잠이 잘 깨지 않습니다. 몽롱한 채로 등굣길에 나섰지만, 버들이의 발걸음은 봄바람에 흩날리는 꽃잎들처럼 가벼웠습니다. 사실 버들이에게는 요즘 비밀이 하나 생겼습니다. 옆 반 남자아이를 좋아하게 된 겁니다.

보름 전이었습니다. 쉬는 시간 종이 울리자 버들이의 단짝 친구인 지유가 버들이를 운동장으로 데려가 수돗가를 가리켰습니다.

"버들아, 쟤 어때? 저기 세수하는 애."

그제야 버들이 눈에도 그 아이가 들어왔습니다.

"쟤? 3반 애 아니야?"

반짝거리는 눈으로 그 아이를 응시하던 지유가 배시시 미소를 지으며 버들이를 봤습니다.

"응 맞아. 성은우!"

"성은우? 이름이 성은우야?"

"응! 이름도 멋있지? 나 요즘 쟤가 너무 좋아."

"너 얼마 전까지 반장 좋아했잖아!"

"그게 언제 적 일인데! 반장은 이제 별로야. 이제 내 마음속 주인은 성은우야."

지유는 좋아하는 아이가 정말 자주 바뀝니다. 누군가를 좋아하면 저렇게 드라마 속 대사 같은 말도 곧잘 합니다.

그때부터였습니다. 은우라는 아이가 버들이 눈에 자꾸 들어오기 시작한 겁니다. 등굣길에도 보이고, 화장실 가는 길에도 보이고, 3반으로 선생님 심부름을 갔을 때에도 유독 은우만 눈에 띄었습니다. 참 신기한 일입니다. 이토록 자주 보이던 아이가 왜 여태껏 눈에 띈 적이 없었던 걸까요? 더 신기한 건 은우가 보이면 버들이의 심장이 뛰기 시작한다는 겁니다.

'어? 가슴이 또 쿵쾅거려.'

은우가 근처에 나타나자 버들이 가슴이 또 쿵쾅거립니다. 그런데 오늘은 심장이 더 요동을 치는 느낌입니다.

"저 옷?"

며칠 전, 버들이가 수돗가에서 주워 분실물 상자에 넣어둔 점퍼를 은우가 입고 있었기 때문입니다.

'저게 은우 옷이었다고?'

수돗가에서 그 점퍼를 발견했을 때 버들이는 옷에서 나는 향기 때문에 조금 놀랐습니다. 익숙한 섬유유연제 향기가 났기 때문입니다.

"어? 우리 집 옷에서 나는 냄새랑 똑같네!"

그러자 옆에 있던 지유도 주운 옷과 버들이 옷 냄새를 번갈아 맡으며 신기해했습니다.

"어! 정말 그러네?"

버들이는 얼굴도 모르는 옷 주인이 친근하게 느껴졌습니다. 그런데 그 옷의 주인이 성은우라니요! 이런 게 지유가 말하던 운명이라는 걸까요?

버들이는 얼굴까지 빨개져 은우를 바라봤습니다. 은우가 손가락 몇 개를 세워 공을 빙글빙글 돌리자 친구들이 박수를 치며 좋아합니다. 3반 부반장이기도 한 은우는 공부도 잘하고 운동 신경도 뛰어나 남자아이들에게도 인기가 많습니다. 버들이도 그런 은우가 반짝반짝 빛나보입니다.

불안

은우에게서 눈을 떼지 못하던 버들이 앞으로 강한 황사 바람이 불었습니다. 핑크빛이었던 세상이 한순간 누렇게 물든 것 같았습니다.

'악…! 모래가 입으로 들어갔어! 퉤, 퉤!'

옆에 있던 지유가 호들갑을 떨며 소리를 지르자 버들이도 정신이 번쩍 들었습니다. 평소 흥이 넘치지만 화도 잘 내는 지유가 신경 쓰이기 시작한 겁니다. 지유도 여전히 은우를 좋아하고 있는데 버들이의 이런 마음을 들키면 절교를 당할지도 모릅니다. 하지만 지금 버들이는 지유 마음까지 살필 처지가 못 됩니다. 은우만 보면 요동치는 심장도 마음대로 되질 않으니 말입니다. 얼굴을 씻겠다며 자리를 떠난 지유를 보며 버들이는 멍해졌습니다.

'지유한테 자꾸 미안하고 불안한데 어떡하지?'

그때, 은우가 갖고 놀던 공이 굴러와 버들이 종아리를 툭 쳤습니다. 버들이는 순간 몸이 굳는 것 같은 기분이 들었습니다. 은우가 버들이를 향해 달려오자 심장이 쇠공으로 변해 땅으로 뚝 떨어지는 것 같았습니다.

"다치진 않았어?"

은우가 공을 주우며 버들이에게 처음으로 말을 걸었습니다.

"어? 어! 어? 어…."

버들이는 고장 난 로봇처럼 '어'라는 말만 반복할 뿐이었습니다. 하필 이런 날 은우가 처음으로 말을 걸다니요.

'다른 날처럼 예쁘게 하고 왔으면 자신 있게 은우에게 말을 더 걸었

을 텐데. 바보, 바보.'

은우를 좋아하고부터는 아침마다 패션쇼를 하느라 분주했던 버들이었습니다. 지금까지의 노력이 다 소용없어진 것 같은 기분에 버들이는 자기 머리를 주먹으로 콩콩 때렸습니다. 은우가 지나간 후에도 버들이는 그 자리에 한참 서 있었습니다.

"야, 너 뭐해? 집에 안 가?"

멍하게 서 있는 버들이를 지유가 툭 쳤습니다.

"어? 어! 가야지….."

집에 가는 길에 지유가 많은 말을 한 것 같은데 무슨 말을 들었는지 기억이 나지는 않았습니다. 은우한테 쪽지를 보냈는데 답장이 없어서 지쳤다는 말을 했을 때는 기분이 좋아졌지만 그 얘기 말고는 아무 말도 들리지 않았습니다. 언젠가부터 버들이는 친구들의 말이 잘 들리지 않습니다. 이 이상한 감정이 시작된 후부터입니다.

우울

그때 하늘에서 딱딱한 돌 같은 게 하나둘 떨어지더니 갑자기 우박이 내리기 시작했습니다. 버들이와 지유는 놀라 길가에 있는 상점 처마 밑으로 몸을 피했습니다. 떨어지는 우박을 보며 옆에 서 있던 아저씨가 중얼거렸습니다.

"아유, 진짜 봄 날씨 변덕도 어지간하네. 황사에 우박에….."

버들이는 요즘 자기 마음이 봄 날씨 같다는 생각을 했습니다. 지금 버들이 마음에도 우박이 쏟아지고 있으니까요.

버들이는 집에 돌아오자마자 거울 앞으로 뛰어갔습니다. 은우 눈에 비친 자신이 어떤 모습이었을지 궁금했기 때문입니다.

'윽…. 내가 이럴 줄 알았어. 머리는 왜 이렇게 헝클어져 있고, 코 밑은 왜 까만 거야?'

갑자기 눈물이 나기 시작했습니다.

'조금 더 예쁜 모습일 때 마주쳤으면 얼마나 좋았을까?'

버들이는 거울 앞에 서서 한참 동안 얼굴을 들여다봤습니다. 이런 버들이의 마음을 알 리 없는 엄마가 저녁밥을 먹으라며 부르자 갑자기 화가 났습니다.

'지금 밥이 중요해?'

버들이는 엄마 말에 대꾸도 하지 않았습니다. 그때 방문이 벌컥 열렸습니다.

"버들이 너 엄마 말 안 들려? 밥 먹으러 나오라는데 왜 그러고 있어?"

"밥도 싫고 나가기도 싫으니까 혼자 있게 내버려 둬요!"

버들이도 자기가 왜 화가 났는지, 또 그 화풀이를 왜 엄마에게 하게 되는 건지 알 수 없었습니다. 아빠와 매일같이 하던 장난도 요즘은 별로입니다. 가만히 있다가 눈물이 나기도 합니다. 이불을 뒤집어쓴 채 이런 생각을 하다 잠든 버들이가 늦은 밤 목이 말라 잠에서 깼습니다. 물을 마시러 안방을 지나 주방으로 가는데 안방에서 엄마, 아빠의 말소리가 들렸습니다.

"버들이 사춘기 같죠?"

"응. 버들이도 사춘기 올 때가 됐지. 우리 버들이는 만날 아기 같을 줄만 알았는데 어느새 그렇게 컸나 보네."

버들이는 고개를 갸우뚱합니다.

'내가 사춘기라고? 사춘기가 아니라 그냥 은우가 좋은 건데, 치….'

버들이는 방에 들어와 복잡한 생각을 다 덮어버리려는 듯 이불을 뒤집어쓰고 잠을 청했습니다.

긴장

다음 날 아침, 버들이가 입어본 옷들로 방이 아수라장이 됐습니다. 오늘은 특히 더 예쁘게 꾸미고 싶었습니다. 생일에 입으려고 아껴두었던 원피스를 입고, 같은 색깔 머리띠도 했습니다. 엄마 화장품을 몰래 가져다 얼굴에 살짝 바르기도 했습니다. 거울에 비친 모습 중 오늘이 가장 완벽합니다.

"버들아, 오늘 꽃샘추위라 추워, 다른 거 입고 가!"

"싫어!"

버들이는 괜스레 화를 내고 집을 나서다가 몇 걸음 가지 않아 멈칫했습니다.

'나 또 왜 이러지? 이것도 다 사춘기 때문인가?'

버들이는 하루에도 몇 번씩 기분이 달라지는 게 이상하다는 생각이 듭니다. 이유 없이 화가 나다가도 은우 생각을 하면 다시 기분이 좋아집니다. 지유가 은우와 함께 걷고 있는 걸 보기 전까지는 그랬습니다. 지유는 드디어 은우와 친해진 모양입니다. 동장군이 봄을 시샘해서 꽃샘추위가 온다는데 버들이는 자신이 동장군이 된 것만 같아 속상해졌습니다. 학교에 도착한 버들이는 아무렇지 않은 척하며 지유에게 다가가 말을 걸었습니다.

"아침에 너 봤어."

"응? 그런데 왜 알은척 안 했어?"

"너 은우랑 같이 가는 것 같아서…. 쪽지 보냈다더니 은우한테 반응이 온 거야?"

"내가 너한테 거기까지밖에 얘기 안 했나? 나 이제 은우 안 좋아해."

버들이 눈이 동그래져서 지유를 쳐다봤습니다.

"은우한테 내 쪽지 전해주던 애 있잖아. 성민이. 걔가 날 좋아한다는 거야. 그런데 그때부터 나도 걔가 더 좋아지는 거 있지. 역시 사랑은 움직이는 거야."

지유가 또 드라마 대사 같은 말을 합니다. 어쨌든 버들이에게는 잘된 일입니다. 다시 기분이 좋아진 버들이는 쉬는 시간마다 복도로 뛰어나갔습니다. 그때마다 은우를 마주쳤고 세 번째에는 서로 눈이 마주치기도 했습니다. 하늘에 먹구름이 끼기 시작했지만 버들이 마음에는 꽃이 피는 것 같았습니다.

실망

하교 시간이 되자 하늘이 뻥 뚫린 것처럼 비가 쏟아지기 시작했습니다. 학교 앞은 우산을 가져온 엄마들과 엄마를 찾는 아이들로 붐볐습니다. 지유도 오늘은 엄마가 데리러 와 버들이와 따로 가게 됐습니다. 버들이는 가져온 우산을 쓰고 집으로 향하다 좋은 생각이 난 듯 은우 집 방향으로 몸을 틀었습니다.

'은우가 혹시라도 우산을 안 가져왔으면 같이 쓰자고 해야지.'

그렇게 즐거운 상상을 하며 걷는데 갑자기 누군가 버들이 우산을 낚아챘습니다. 은우랑 같이 다니던 남자아이였습니다. 이름은 모르지만 짓궂기로 유명한 악동이기도 합니다.

"야! 뭐야! 빨리 내 우산 돌려줘!"

"싫은데, 내가 왜!"

우산을 낚아챈 남자아이는 버들이를 놀리며 달아났습니다. 버들이는 무리로 달아난 남자아이를 쫓아 뛰어가다 흙탕물 웅덩이에 넘어졌습니다. 흙탕물을 뒤집어쓴 채 남자아이를 쫓아간 버들이 눈에 은우가 먼저 보였습니다. 이런 꼴로 은우와 눈이 마주친 것도 속상한데, 은우는 버들이를 도와주기는커녕 무리의 아이들과 함께 장난을 치며 가던 길을 갔습니다.

철심처럼 두꺼운 장대비가 우산 없이 서 있는 버들이를 사정없이 내리쳤습니다. 빗줄기가 얼마나 센지 맞을 때마다 얼얼하게 아팠습니다. 은우에 대한 실망감 때문일까요? 마음은 더 아팠습니다. 버들이는 그 자리에 털썩 주저앉아 펑펑 울었습니다.

집에 돌아온 버들이는 곧장 욕실로 들어가 뜨거운 물을 틀어놓고 엉엉 울었습니다.

'이제 다시는 누구 안 좋아할 거야! 성은우도 밉고, 지유도 미워! 내

마음이 제일 미워!'

그 사이 욕조 가득 따뜻한 물이 받아졌습니다. 따뜻해진 공기에 버들이 마음도 조금 녹는 것 같았습니다. 오히려 지난 며칠 동안 버들이 마음을 들쑥날쑥하게 만들었던 이상한 감정들이 싹 씻긴 것 같아 개운한 마음도 들었습니다.

희망

그날 밤, 버들이는 오랜만에 편안한 마음으로 잠이 들었습니다. 꿈속에서 버들이는 여전히 그 열차를 타고 있었습니다. 버들이 앞에서 먼저 열차를 탔던 남자아이가 버들이에게 다가와 미소를 지었습니다. 흐릿하게 보이는 남자아이를 보려고 버들이는 몇 번이나 눈을 비볐습니다.

"성은우?"

그 순간 버들이는 놀라 잠에서 깼습니다. 다른 날보다 일찍 일어난 버들이가 말간 얼굴로 거실에 나오자 엄마는 놀라며 버들이를 봤습니다.

"어머! 일찍 일어났네. 오늘 봄볕이 참 좋던데 테라스에 좀 나가 봐."

아침마다 옷을 고르느라 분주했던 버들이는 테라스에 나가 따뜻한 봄볕을 맞으며 오랜만에 여유를 만끽했습니다. 그러고는 엄마에게 어제 있었던 일과 꿈에서 탄 열차 이야기를 신나게 했습니다. 엄마는 그런 버들이를 보며 환하게 웃어 보였습니다.

"그거 사춘기 열차인가 보다. 열차 타고 가다 보면 어두운 터널도 지나게 되잖아. 요즘 버들이 마음이 힘들었던 건 터널을 지나는 과정이었을지도 몰라. 터널 지나고 나면 좋은 풍경도 펼쳐질 거야, 우리 딸 파이팅!"

엄마의 응원까지 받아 기분이 좋아진 버들이는 콧노래를 부르며 교실에 도착했습니다. 여느 때와 같이 지유와 인사를 나누고 앉아 책상 서랍에 책을 넣으려는데 편지 봉투 하나가 손에 걸렸습니다. 조심히 꺼내 본 편지 봉투에는 '은우'라는 이름이 적혀있었습니다.

『안녕. 나 성은우. 어제는 미안했어. 우산 뺏은 애한테는 내가 경고했으니까 이제 안 괴롭힐 거야. 그리고 사실 나 너한테 좀 관심 있어. 그냥 그렇다고.』

은우에게도 버들이와 같은 변화들이 있었던 게 아닐까요? 편지를 읽는 내내 버들이의 입가에 미소가 번졌습니다. 버들이는 가장 좋아하는 펜과 종이를 꺼내 '은우에게'라고 적은 후 한참을 써 내려갔습니다. 엄마가 이야기한 좋은 풍경이 버들이 앞으로 펼쳐지는 것 같습니다.

하나도
무섭지 않아!

송민정

송민정

어쩌다 보니 이야기 만드는 일에 관심이 생겨 덜컥 원고를 쓰게 되었습니다. 아직은 무엇을 쓸 수 있을지 찾아가는 과정에 서 있는 사람이에요. 멀지 않은 어느 날, 어른도 아이도 즐거운 동화를 전할 수 있기를 소망합니다.

하나도 무섭지 않아!

서호네 반 쉬는 시간은 조용한 날이 없습니다. 저마다 전날 일어난 재미있는 이야기를 풀어내기 바쁘거든요. 가장 흥미진진한 이야기를 하는 친구가 그날의 주인공입니다. 같은 반 친구인 건우가 눈을 반짝이며 말했습니다.

"너, 그거 알아? 우리 학교 지어진 지 100년이나 되었대. 그래서 전설도 많다니까!"

"학교 안에 소녀 조각상 있잖아! 소녀 조각상이 보던 책을 다 읽으면!"

"읽으면?"

어느새 건우 주변으로 모여든 친구들이 다음 이야기를 재촉합니다. 오늘 가장 인기 있는 이야기는 건우의 학교 괴담이었어요. 옹기종기 모여 있는 친구들 사이에서, 서호도 귀를 쫑긋 세우고 집중했습니다.

"마음에 드는 사람을 한 명 데려간대. 매일 지켜보다가 확 잡아가는 거지!"

"근데 왜 데려가는 거야?"

"혼자 있기 외로워서 데려간다던 걸?"

"그러니까 책을 읽으면서 누굴 데려가면 좋을까 살펴본다는 거야."

웅성웅성 무섭다는 소리가 들려왔지만, 이야기를 멈추는 사람은 아무도 없었습니다. 다들 두려움보다는 호기심이 앞섰거든요.

다음 쉬는 시간에도 친구들은 여전히 무서운 이야기를 했습니다. 좀 전엔 학교 괴담뿐이었는데, 이번엔 다른 무서운 이야기들이 꼬리에 꼬리를 물었어요.

"귀신은 사람이 되고 싶어서 사람들 주변을 맴돈다고 해."

"갑자기 등 뒤가 서늘하게 느껴지면 귀신이 지나가는 거래."

친구들의 이야기가 하나, 둘 더해질수록 서호는 자신도 모르게 침을 꼴깍 삼켰습니다. 두근두근. 심장 소리가 커지는 것 같을 때, 누군가 말했습니다.

"에이, 다 지어낸 말 아니야?"

서호는 그 말도 맞다는 생각이 들었습니다. '진짜일까?' 싶다 가도, 무서우니까 전부 가짜였으면 좋겠다는 생각이 들었거든요. 하지만 친구들 앞에서 차마 무섭다고 말할 수는 없었어요. 서호는 애써 아무렇지 않은 척 말했습니다.

"맞아! 다들 본 적 없잖아. 누가 지어낸 이야기일지도 몰라."

친구들은 이제 진짜다, 가짜다를 따지며 이야기를 나누기 시작했습니다. 그러자 옆 분단에 있던 친구가 불쑥 끼어들며 말했습니다.

"아냐! 학교 괴담은 진짜야! 우리 형도 아는 얘기라고 그랬어!"

그날 하굣길, 서호는 건우의 이야기가 생각나 소녀 조각상을 보러 갔습니다.

'지금 보는 책을 다 읽으면 새 책을 읽는 걸까?'

새하얀 얼굴, 새하얀 치마를 입은 소녀의 표정은 특별할 것 없어 보였습니다. 너무도 평범해서 무서운 짓을 할 것 같지는 않았어요. 그럼, 책은 얼마만큼 남았을까요? 서호가 손을 뻗어 재보자 딱 자기 손 반 뼘만큼 책장이 남아 있었습니다.

'읽으려면 한참 남았네.'

서호는 책장의 두께를 보자 조금 안심이 되었습니다.

학교에서 돌아온 서호는 엄마가 만들어 주는 간식을 기다리고 있었습니다. 좀 전부터 맛있는 떡볶이 냄새가 솔솔 났지만, 서호의 머릿속은 온통 다른 생각뿐이었어요. 귀신은 있는 걸까요? 없는 걸까요? 궁금증을 참지 못한 서호는 엄마에게 질문하기 시작했습니다.

"엄마, 우리 학교가 세워진 지 100년도 넘었다는 거 알아요?"

"그럼, 알고 있지. 엄마도 그 학교를 졸업했다고 말했었잖니."

서호는 기억하지 못했던 사실에 조금 놀랐어요. 어쩌면 엄마도 친구들이 했던 이야기를 알고 있지 않을까요? 졸업생인 엄마가 모르면 학교 전설도, 귀신 이야기도 그저 그런 가짜일지도 모릅니다. 서호는 조심스러운 목소리로 또 물었습니다.

"그럼, 학교 전설도 알아요?"

"물론이지, 소녀 조각상 이야기가 가장 유명했단다."

엄마는 막 완성된 떡볶이를 내어주며 빙긋 웃었습니다. 그러나 서호는 웃을 수가 없었어요. 서호는 내내 기다리던 떡볶이를 먹는 것도 잊고 긴장된 얼굴로 엄마에게 물었습니다.

"소녀 조각상 이야기가 뭔데요?"

"책 읽는 소녀 조각상이 외로워서 마음에 드는 친구를 데려간다는 이야기였단다."

그날 저녁, 해가 진 창밖은 비가 올 것처럼 어둑어둑하고 바람이 불고 있었어요. 낮게 드리운 회색 구름을 보니 서호의 마음에도 구름이 끼는 것 같았습니다. 서호는 평소와 다르게 작은 소란에도 심장이 쿵쾅거렸어요. 쿠르릉하고 천둥소리라도 나면 등 뒤가 쭈뼛하고 오싹해졌습니다. 서호는 더 캄캄한 밤이 오기 전에 자야겠다고 마음먹었어요.

"엄마, 나 오늘은 일찍 잘 거예요."

그러나 잠자리에 누워서도, 학교에서 본 조각상과 친구들의 이야기가 자꾸만 자꾸만 생각났습니다.

'소녀 조각상 이야기는 진짜였어. 다른 것도 진짜일지 몰라.'

그 생각을 지울 수가 없었어요. 서호가 좀처럼 잠들지 못하자 엄마가 방문을 열고 찾아왔습니다.

"잠이 안 오니?"

서호는 우물쭈물 무엇부터 말해야 할지 알 수 없었어요. 엄마는 그런 서호의 속마음을 읽은 것처럼 가만히 머리를 쓸어 주었습니다.

"혼자 자기 무서우면 엄마가 방문에 드림캐처를 달아줄게."

"그건 뭐예요?"

엄마의 손에는 동그란 장식품이 하나 들려 있었습니다. 둥근 나무
틀에는 거미줄 같은 실들이 이어져 있고, 밑에는 커다란 깃털들이 달
려 있었어요. 태어나서 처음 보는 장식품이었습니다.

"이상하게 생겼어요."

"인디언들이 악몽을 쫓을 때 썼던 부적이란다. 분명 서호를 지켜줄
거야."

서호는 엄마의 말에 입을 삐죽 내밀었습니다. 이상하게 생긴 장식
품이 어떻게 지켜준다는 걸까요? 완전히 마음이 놓이지는 않았지만,
그래도 부적이라도 있는 것이 나을 것 같았습니다.

자기도 모르는 새 잠들었던 서호는 삐비빅 - 현관문이 닫히는 소리
에 눈이 번쩍 떠졌습니다. 잠을 자다가 일어난 것은 처음 있는 일이었
어요. 서호는 눈을 데구르륵 굴리며 주변을 살폈습니다. 눈을 떠도 주
위가 어두운 걸 보니 밤인 것 같았습니다. 조금 어두워졌을 뿐인데 낮
에는 아무렇지도 않았던 방안이 마치 다른 공간 같았어요. 방문에는
아까 달았던 드림캐처가 깃털을 나풀거리고 있었습니다.

'왜 이렇게 조용하지?'

순간 오싹한 기분이 들며 시곗바늘 소리가 귓가에서 울리는 것처럼
크게 들렸습니다. 토각토각. 고요한 방안에 울리는 시계 소리는 마치
낯선 이의 발걸음 소리 같았어요. 문득 오늘 낮, 친구들이 했던 무서

운 이야기가 떠올랐습니다. 등 뒤가 서늘해지면 귀신이 지나가는 거라고 누가 그랬거든요. 그 말이 떠오르자 자리에서 일어나면 무언가 쫓아와 있을 것 같은 기분이 들었어요. 서호의 얼굴은 어느새 울상이 되었습니다.

'아무도 없다. 아무도 없다.'

서호는 두려움을 떨치려고 속으로 중얼거렸습니다. 하지만 어두운 방 안에서 누군가 자신을 바라보는 것만 같았어요. 서호는 침대에서 한참을 이러지도 저러지도 못하고 있었습니다. 그러다 답답함을 참지 못하고 외쳤어요.

"엄마! 엄마!"

몇 번을 더 외쳤을까요? 그러나 아무리 기다려도 엄마는 오지 않았습니다. 서호는 그렁그렁 눈가에 맺힌 눈물을 훔치며 다시 소리쳤지만, 엄마에겐 목소리가 닿지 않는 것 같았어요. 새카만 방은 여전히 무서웠지만 더는 가만히 있을 수 없었습니다.

'엄마한테 가자. 그럼 덜 무서울 거야.'

괜히 심통이 난 서호는 방문에서 드림캐처를 떼어내고 방 밖으로 나섰습니다.

"지켜준다더니 거짓말."

어둠이 가득한 건 거실도 마찬가지였습니다. 무서움을 꾹 참고 우다다 뛰어간 안방에도, 살금살금 걸음을 옮긴 주방에도, 마지막 희망을 가지고 간 베란다에도, 엄마는 보이지 않았어요. 마치 감쪽같이 사라진 것처럼요.

그때였습니다. 베란다 창밖으로 하얀 치마 같은 것이 휙 지나가는 것 아니겠어요. 학교 소녀 조각상의 하얀 치마였어요. 서호는 순식간에 마음이 다급해졌습니다.

'엄마도 우리 학교를 졸업했다고 했잖아.'

'소녀 조각상이 나를 쫓아왔다가 엄마를 데려간 건 아닐까?'

덜컥 드는 생각에 무서움보다 사라진 엄마에 대한 걱정이 앞서기 시작했습니다. 누구도 엄마를 데려가게 둘 수는 없었어요. 집안에서 엄마를 찾지 못한 서호는 현관문을 열고 아파트 밖까지 나왔습니다.

"엄마!"

아까보다 더 세차게! 목청 터져라 엄마를 불러 보았어요.

'도대체 어디에 있는 거야?'

서호는 발을 동동 굴렀습니다.

'좀 전에 치마가 지나간 곳으로 가보자!'

서호는 아파트 입구 계단을 쪼르륵 뛰어 내려갔습니다. 환한 조명등이 길가를 비추고 있었어요. 불빛이 닿는 곳에 다른 사람은 보이지 않았습니다. 서호는 1층 베란다 앞, 화단을 살펴보다 집 앞에 있는 커다란 나무를 보았습니다. 커다란 나무 쪽에 좀 전에 본 하얀 치맛자락이 나풀거리고 있었어요.

'여기 있구나!'

그때, 바람결에 나뭇잎 부딪치는 소리가 쏴아아 들려왔습니다. 서호는 파도처럼 몰려오는 소리에 자신도 모르게 어깨를 움츠렸습니다. 하지만 귀신이 도망가기 전에 얼른 붙잡아 엄마의 행방을 물어야 했어요. 서호는 혹시라도 놓칠까 살금살금 치마가 보이는 곳으로 다가 갔습니다. 그리고 질끈 눈을 감고, 하얀 치마를 덥석 움켜쥐었어요.

"엄마가 어디 있는지 말해!"

하지만 하얀 치마를 입은 귀신은 대답이 없었습니다. 대신 무언가 힘없이 서호의 발아래로 떨어졌어요. 영문을 모르겠는 서호는 가늘게 눈을 떴습니다. 그건 좀 전까지 서호의 눈앞에서 나풀거리던 하얀 치마였어요. 아니, 자세히 들여다보니 그냥 찢어진 하얀 천 조각이었습니다. 서호는 혹시나 하는 마음에 발로 천을 툭툭 밀어보았지만 아무런 일도 일어나지 않았어요. 그래요. 바람에 펄럭이는 모양을 보고 치마라고 착각한 것이지요.

'그럼, 엄마는 어디로 사라진 거지?'

서호는 어느새 두려움은 까맣게 잊고 주변을 살피기 시작했습니다. 그때, 등 뒤에서 애타게 찾던 엄마의 목소리가 들려왔습니다.

"서호, 여기서 뭐 하니?"

"엄마!"

서호는 반가움에 달려가 한아름 엄마를 끌어안았습니다.

"어디 있었어요?"

"분리수거하러 다녀왔지."

엄마의 손에는 커다란 분리수거 봉투가 들려 있었습니다.

그래요. 사라졌다고 생각했던 엄마는 한순간도 사라진 적이 없었어요. 다시 보니 좀 전에 하얀 천 조각도 분리수거장에서 날아왔을 거라는 생각이 들었습니다. 서호는 이제껏 두려움에 떨던 시간들이 조금

억울하게 느껴졌어요.

'뭐야, 아무것도 아니었잖아.'

그렇지만 아무 일도 없다는 사실이 기뻐 웃음이 나왔습니다.

"자다가 밖에는 왜 나왔어? 악몽이라도 꾼 거야?"

손을 마주 잡은 엄마가 미소 지으며 물었습니다. 서호는 곰곰이 생각하다 싱긋 웃었어요.

"그냥 엄마가 없길래 찾았어요."

다음날, 서호는 등교하자마자 소녀 조각상을 찾아갔습니다. 그리고 책장에 손을 대보았어요. 책장은 변함없이 손 반 뼘만큼 남아 있었습니다. 소녀 조각상의 이야기는 진짜일까요? 서호는 여전히 알 수 없었지만, 동시에 어젯밤처럼 별것 아닌 일일지도 모른다고 생각했습니다. 그러자 그동안의 불안이 씻은 듯이 사라지는 것 같았어요. 이제 서호는 소녀 조각상도, 귀신도, 캄캄한 밤도 더는 무섭지 않았습니다.

바퀴
달린 가족

김가영

김가영

첫 째 아이가 초등학교에 입학하면서 그림책 세계에 풍덩 빠졌어요. 남매와 매일 그림책을 읽으며 즐거운 상상을 했죠. 그러다 제 주변에 사물과 생명체들이 생각하고, '인간의 언어로 말한다면 지금 나에게 어떤 말을 할까?'라는 질문을 하게 됐어요. 물건에 '사람처럼 생각하고 말해라 얍!' 주문을 걸어 이야기를 지었어요. 마법에 걸린 첫 번째 아이는 우리 집 자동차랍니다.

바퀴 달린 가족

안녕! 반가워요. 가족 소개를 먼저 할게요. 우리 가족은 엄마, 아빠, 연우, 선호 그리고 나까지 다섯이에요.

나는 네 식구의 자동차에요.

내 이름은 둘째가 다섯 살 때 지어줬어요. 어린이집에서 친구들과 다 같이 놀고 있는데, 한 친구가 "신선호!", "신선호!"라고 큰 소리로 이름을 불렀대요. 엄마가 혼낼 때 부르는 것처럼 들려서 기분이 안 좋았대요. 나중에 한 말이지만, 정 없이 들렸다나요? 그래서 자기는 성 빼고 이름만 불러야겠다고 생각했대요.

내 성이 '카' 씨인 줄 알았나 봐요. 다정하게 이름을 불러준다며 "니발아~" "니발아~"라고 하더라고요. 그때부터 이름이 생겼어요. 고급스럽고 세련된 나에게 니발이라니.

'좀 더 멋진 이름은 없니? 너보다 내가 먼저 태어났으니까 형이라고 불러 주고.'

5년 전이에요. 처음 가족을 만났을 때, 엄마 배가 불룩했어요. 아기가 곧 태어난다고 했어요.

배 속에 아기가 있다니! 신기했어요.

엄마가 식은땀을 흘리며, 힘들어하는 모습을 보니 더 빨리 달려야 했어요. 이럴 때 신호는 왜 자꾸 빨간색인 걸까요? 내 바퀴에서도 식은땀이 나는 것만 같았어요. 자자, 신호 바뀐다. 3, 2, 1 출발!

며칠이 지났을까요? 산부인과에 들어갈 때는 두 명이었는데 나올 때는 엄마 품에 안긴 아기까지 세 명이 됐어요.

'이 아기가 엄마 배 속에 있었던 거예요? 곰 인형처럼 귀여워요. 선호야 반가워!'

이제 막 태어난 선호는 연우의 동생이에요. 눈을 감고 새근새근 자는 선호는 깃털처럼 가벼웠어요. 매일 경적, 엔진소리, 끼익하고 멈추는 소리만 듣다가 고요한 아기 숨소리를 들으니 '아, 힐링 된다.' 선호가 깰까 조심조심 집으로 향했어요.

어린 남매는 쑥쑥 자랐어요. 어른 손을 잡고 걷던 연우는 뒤뚱뒤뚱 혼자 걷고요. 늘 안겨 있던 선호는 뭔가를 잡고 걸을 수 있게 됐어요. 삑삑 소리 나는 신발을 신고 다닐 때는 꼭 아기 오리 같았어요. 가끔 알아듣지 못하는 말도 하는데, 하루는 "아빠." "타."라고 했어요. 나는 선호 말을 잘 알아들어요. 번역을 하면 '아빠 차'라는 말이에요. 선호의 귀여운 모습에 헤드라이트를 번쩍 켜주었어요. 주차된 차에서 갑자기 불빛이 나니 아빠가 고개를 갸우뚱했어요.

"허 신기하네. 저절로 헤드라이트가 켜지다니."

내가 부린 재주에 아빠가 놀라워했어요.

엄마가 저녁 준비를 하신다는 건 아빠 퇴근 시간이 되어 간다는 거예요. 주방에서 지글지글, 탁 탁탁 소리가 나면 선호는 창문 옆에서 놀아요. 빌라 1층이라 차 소리가 잘 들리거든요. 자동차 소리가 날 때마다 밖을 쳐다보다가 아빠가 차에서 내리면 반갑게 인사해요. 몇 달이 지난 지금은 내 엔진소리만 들어도 알아요. 주차하고 있는데 거실 베란다 창문으로 얼굴을 내밀고 손을 흔들어요.

"니발이다! 아빠 왔다!"

선호는 내가 오는 소리를 기가 막히게 잘 아는 것 같아요. 와이퍼로 신나게 인사해 줬어요.

"아니, 이거 왜 이러지? 잠김 버튼 눌렀는데 저번부터 이상해. 정비소 좀 가봐야겠다."

'아빠 죄송해요. 선호가 귀여워서 인사해 준 거예요. 정비소 가셔도 문제없다고 할 거예요.'

앞으로 아빠가 안 볼 때 몰래 해야겠어요. 하하하.

아빠는 일이 바쁠 때는 주말에도 출근하셨어요. 그러다가 모처럼 이번 주말은 가족과 함께 시간을 보내기로 했어요.

토요일 아침, 이불과 간식거리를 챙겨 바다가 보이는 곳으로 떠났어요. 연우와 선호는 정말 신나 보였어요.

바닷가에는 관광객이 많아 겨우 자리 잡았어요. 엄마가 짐을 풀고 돗자리를 펴는 동안 연우는 곰 인형이랑 노래를 부르고, 선호는 젤리를 먹으며 장난감 자동차로 내 몸 구석구석을 누벼요.

"부릉부릉, 서노 차가 나갑니다. 길을 비키세요."

'으하하, 간지러워. 그만 그만.' 언제나 참을 수 없는 작은 바퀴의 간지러움이에요.

'조심해, 지난번에 자동차 잃어버려서 많이 울었잖아.'

그런데 이 끈적함은 뭐지? 설마 젤리 흘린 거야? 간식은 앉아서 먹어야지. 너 엄마한테 혼난다!

엄마 아빠는 차 안을 정리하고, 아이들은 노느라 배가 출출해져 푸드 트럭에서 먹을 것을 사기로 했어요. 스테이크, 빵, 떡볶이, 주먹밥…. 남매의 발걸음이 가벼워 보여요.

연우와 선호가 먹고 싶은 메뉴를 이야기해요.

"나는 소떡소떡이랑 솜사탕 먹고 싶어."

"나는… 꼬기! 꼬기 먹을래."

엄마, 아빠는 양손 가득 음식을 가져왔어요. 엄마는 차 안에 음식을 푸짐하게 늘어놓았고, 아빠는 트렁크를 활짝 열었어요. 그러자 바다가 시원하게 펼쳐졌어요. 연우와 선호는 좋아했어요.

한입 먹고 바다 보고, 또 한입 먹고 하늘 보고 미소가 끊이질 않아

요.

"엄마, 차에서 밥 먹으니까 신기해. 신발 벗고 노니까 재밌어."

"아빠, 다음에 니발이랑 또 오고 싶어."

"그렇게 좋아? 이렇게 좋아하니 엄마, 아빠도 행복하네."

밖으로 나온 가족들은 의자를 놓고, 낚싯대 두 개를 폈어요. 아빠는 지렁이를 끼워 바다에 던져서 연우와 선호가 낚시를 하도록 해주었어요.

"아빠, 물고기가 자꾸 지렁이만 먹고 도망가."

연우가 말해요.

"물고기들이 똑똑한 걸? 하하하."

"재미없어. 나 안 할래."

지루해진 남매는 내 엉덩이에 걸터앉아 과자를 먹었어요.

해가 지고 어둠이 찾아왔어요. 우리 모두 달빛에 반짝이는 바다를 멍하니 바라봐요. 연우, 선호는 파도 소리가 자장가처럼 들렸는지 잠이 들었어요.

아빠가 엄마에게 말을 꺼냈어요.

"해외에 일자리가 생겼다고 연락이 왔어. 한국보다 조건이 좋아. 외국 생활이 쉽지는 않겠지만 이런 기회가 자주 있는 것도 아니고, 애들 한 살이라도 어릴 때 가면 좋을 것 같아서. 멋진 경험이잖아. 가보자."

"응? 갑자기? 그동안 현장 바뀔 때마다 이사 다닌 거 생각하면 놀랄 일도 아니지만… 이번엔 외국이라니까 당황스럽다."

"그렇지, 나도 고민 많이 했어."

"우리말도 서툰데 영어까지 하면 애들이 혼란스러울 것 같아."

엄마는 어린 연우, 선호 걱정에 쉽게 결정하지 못했어요.

두 분의 이야기는 밤이 깊도록 계속됐어요.

밝은 햇살에 눈이 저절로 떠지는 아침이에요.

어젯밤 엄마, 아빠 얘기가 길어져 늦게 잠이 들었는데, 어떤 결정을 내리셨을까요?

'연우, 선호야 어서 일어나, 아빠가 중요한 말씀을 하실 거야. 너무 떨려서 못 기다리겠어. 얼른 일어나봐!'

"어이구 우리 똥강아지들 일어났어? 아침 먹어야지."

"밥 다 먹으면 아빠가 아주아주 중요한 이야기를 할 거야. 우리 첫 가족회의야!"

아! 드디어 아빠가 말씀하시는군요!

"연우야, 선호야 어제 아빠 엄마가 오랫동안 이야기한 게 있어. 아빠가 이번에 프랑스라는 나라에서 일하게 됐어. 비행기 타고 가야 해. 다음 달에 떠날 거야."

"와 우리 비행기 타는 거야? 제주도 보다 멀어?"

"13시간은 타고 가야 해. 정말 오래 타지?"

그 이야기를 듣고 나는 깜짝 놀랐어요. 가족들이 다 함께 외국으로 간다니!

'고민 많이 하시더니 가기로 하셨군요. 나도 같이 가는 거죠?'

나는 아빠를 물끄러미 바라보며 어떤 대답이 올까 기다렸어요. 그때 선호가 큰소리로 말했어요.

"아빠, 비행기에 니발이 자리 있어?"

"선호야, 차는 너무 커서 비행기에 싣고 갈 수가 없어."

내가 함께 가지 못한다고 하니 선호가 당황했어요.

"왜 못 가? 니발이도 우리 가족이잖아."

"배로 갈 수는 있는데, 시간이 엄청 오래 걸린대. 나라마다 교통 규칙이 달라서 우리 차로 운전을 못 할 수도 있어. 다른 나라에 차를 가져가는 게 쉬운 일이 아니야."

'무슨 말씀이에요. 우린 가족이잖아요. 나만 두고 간다니요. 오랫동안 떨어져 있어야 하잖아요. 말도 안 돼요!'

나는 속으로 엉엉 울었어요. 선호도 속상한지 아빠에게 말했어요.

"니발이랑 같이 안 가면 나도 안 가! 아빠 나빴어!"

바다를 다녀온 후 가족들은 바빠졌어요.

"여보 내일 사진 찍고, 도청 가서 여권 신청하고."

"한국처럼 인터넷주문이 쉽지 않으니까 필요한 건 큰 마트 가서 장보자."

아빠는 필요한 정보를 엄마에게 알려주었어요.

그러던 어느 날, 자고 일어난 선호가 눈을 비비며 말했어요.

"어제 꿈에 니발이가 나왔어. 같이 못 간다고 하니까 막 울었어."

내 마음 알아주는 건 선호밖에 없어요. 같이 가고 싶다고 오래 생각하니까 선호 꿈에까지 나타났나 봐요. 자꾸 우는 선호에게 더 이상 기댈 수도 없고. 나도 가고 싶었는데….

"선호야, 니발이는 할아버지네 맡기기로 했어. 니발이가 잘 있는지 궁금할 때는 영상통화도 하고, 사진도 보내달라고 하면 어때? 선호는 프랑스에서 멋진 곳 다녀온 거랑 맛있는 거 먹은 거랑 예쁜 것들 사진 찍어서 보내주고. 그러면 니발이가 선호가 이런 곳에 다녀왔구나. 하고 좋아해 줄 것 같은데."

"그래, 니발이는 못 가니까 선호가 다녀와서 이야기해 주면 되겠네."

아빠가 맞장구쳤어요.

"알겠어."

할아버지께서 인천공항에 데려다주기로 하셨어요. 할아버지가 나를 운전하는 건 처음이에요.

큰 캐리어 4개에 작은 거 2개, 메는 가방까지 짐이 얼마나 무거웠는지, 내 엉덩이가 땅에 닿을 뻔했어요.

"몸조심하고 잘 다녀오니라."

"네. 아버지도 운전 조심하시고요."

"할아버지, 니발이 내 친구예요. 잘 봐주세요."

"그래 알았다."

'그리울 거예요. 모두. 전화 자주 해주세요. 어떤 곳인지 사진 보내주면 더 좋고요. 잘 다녀와요.'

가족들을 배웅하고 할아버지 집으로 갔어요. 구불구불 시골길이에요.

"이거 참, 차가 원체 커서 적응이 안 되는구먼."

할아버지는 혼잣말을 하며 조심조심 운전했어요.

시골 생활은 심심하고 지루할 줄 알았는데, 새벽부터 "꼬끼오~." 하고 아침을 알리는 소리에 늦잠도 못 자요.

할아버지가 트렁크를 열어 흙이 잔뜩 묻은 낫, 가위, 호미, 톱들을 실었어요. 오늘부터 나는 농부인가 봐요. 할 일이 많아 보이는 건 기분 탓이겠죠?

밭에 도착한 할아버지는 연장을 내리다 돌멩이에 발을 헛디뎌 트렁크 아랫부분에 상처가 났어요.

"어이쿠, 이런 연장 놓칠 뻔했네."

'아야야, 내 엉덩이. 할아버지 아파요.'

할아버지는 부지런한 농부였어요. 나를 타고 다니며 수확한 농작물을 실어 나르곤 했어요. 흙먼지를 뒤집어써서 툭 하면 재채기가 나왔어요. 내 모습은 어느새 흙투성이 누런 차가 됐어요.

그뿐만이 아니에요. 할아버지와 다니면서 여기저기 긁히고, 부딪혔어요. 우리 가족이랑 있을 땐 정기 점검도 받고, 선호가 번쩍번쩍 광나게 목욕도 시켜줬는데. 할아버지는 나를 가족이라고 생각하지 않나 봐요.

나는 비 오는 날이 좋아졌어요.

'비 온다. 빗물로 먼지라도 씻자. 하… 선호는 언제 올까?'

찌르르 귀뚜르르 귀뚜라미가 노래하는 저녁에 프랑스에 있는 엄마에게 영상 전화가 왔어요. 해외에서는 나보다 작은 차를 타고 다닌대요.

"할아버지, 선호가 자꾸 내 자리를 넘어와. 니발이는 혼자 앉을 수 있는데, 이 차는 의자가 길게 하나라서 내 자리가 없어."

"내가 뭐, 누나가 넘어왔잖아. 누나가 음료수병 내 자리에 놨으면서!"

"얘들아, 그만. 오늘 멋진 거 보고 왔잖아. 그거 말씀드리기로 했으면서 싸우면 어떡하니."

"저희는 잘 지내고 있어요. 성당 보니 어머니 생각이 나서요. 연우, 선호가 초 켜고 할머니, 할아버지를 위해 기도드리고 나왔어요. 그거 말씀드리기로 해놓고 이렇게 싸우네요."

"할아버지, 니발이는 잘 있어? 니발이 보고 싶어. 보여줘."

"그래, 자! 보이냐."

"할아버지, 니발이 아픈 데 없지? 내 친구니까 다치지 않게 해줘."

나를 바라보는 초롱초롱한 선호의 눈동자가 보여요.

'안녕, 선호야. 잘 지내지?'

전화기 너머로 들리는 남매의 목소리는 활기차고 신나 보였어요.

보고 싶다, 우리 가족.

그날 밤 꿈을 꿨어요. 가족들과 함께 프랑스에 있었어요. 에펠탑도 보고, 선호가 좋아하는 차를 보러 자동차 박물관도 갔어요. 나의 조상님들을 본 셈이에요. 그 클래식한 멋짐에 라이트가 번쩍번쩍! 엄지척! 선호도 최고라며 장난감 자동차를 두 개나 샀어요. 프랑스는 크루아상이 유명해요. 우린 유명한 빵집 앞에 섰어요. 지나가는 차들이 자기와 다르게 생긴 나를 신기한 듯 쳐다봐요. 그래서 한마디 했죠. '봉~ 쥬르~ 모나미~.' 안녕, 내 친구라고 말이에요. 하하하. 이렇게 즐거운 여행인 줄 알았다면 억지로라도 따라갈 걸 그랬나 봐요.

할아버지네 고추 농사가 잘되어 정말 바빴어요. 2년 동안 힘들게 일하고 나니, 콜록콜록 기침에 덜덜덜 소리가 나요. 나도 할아버지가 된 것 같은 기분이에요. 이제 선호 형이 아니고 할아버지인 건가.

벚꽃이 흩날리던 날, 선호에게 전화가 왔어요.
"할아버지, 다음 주에 한국에 가. 니발이랑 데리러 올 거지?"
"그럼, 그럼. 이 할아비가 데리러 가야지."
"엄마랑 누나랑 갈 거야. 아빠는 일이 남아서 더 하고 온대."

공항으로 가는 길이에요.
페인트는 벗겨지고, 여기저기 상처 난 몸은 천근만근 무거워요. 힘

들지만 우리 가족들 만나면 기쁘게 인사해 줄 거예요. '빨리 만나고 싶다! 어서 가요 할아버지!'

못 본 사이 연우, 선호는 많이 컸어요.

'둘 다 머리에 물들였네. 피부는 나처럼 검게 그을렸고. 재미있게 놀고 온 것 같은데? 선호는 이가 네 개나 빠졌구나. 그래도 개구쟁이 모습은 여전하네.'

이렇게 오래 떨어진 게 처음이라 가족들을 자꾸 쳐다보게 돼요.

"할아버지! 보고 싶었어요."

"그래, 잘 지내다 왔니? 더 건강해진 것 같구나."

"니발이도 잘 있었어? 보고 싶었어!"

역시 선호가 제일 먼저 인사해 줘요.

나는 오랜만에 선호와 가족들을 태우고 부릉부릉 신나게 달렸어요. 그런데 운전하던 엄마가 이상을 감지했어요.

"어머, 차가 왜 이러지? 경고등도 자꾸 켜지고. 그동안 무슨 일이 있었던 거야."

엄마는 정비소로 갔어요. 선호는 무슨 일일까 궁금해하고 할아버지는 헛기침만 했어요.

"내가 그동안 살살 탔는데… 흠. 고장이 났나?"

정비소 사장님은 내 몸 여기저기를 살펴봤어요. 꽤 오랜 시간 높은 곳에 있으니, 선호가 걱정됐는지 엄마랑 나와서 나를 지켜봐요.

"니발이 무섭겠다. 왜 이렇게 오래 있어? 내려달라고 하면 안 돼?"

"어디가 아픈지 봐야 해서 확인하는 건가 봐. 조금 더 기다려 보자. 아저씨가 잘해주실 거야."

얼마 뒤, 정비소 사장님이 다가와 말했어요.

"고장이 많이 나서 고쳐야 할 곳이 좀 많아요. 수리비가 꽤 나오겠어요. 그나저나 꼬마 손님! 차에서 미니 자동차 두 대를 찾았는데, 주인 맞아요?"

정비소 사장님은 작은 장난감 차를 내밀었어요. 선호 손에 꼭 쥐어지는 빨간 차와 검은색 자동차였어요.

"와, 이거 내차 맞아요. 내가 잃어버렸던 자동차예요. 아저씨 고맙습니다."

그 차는 선호가 아기였을 때 손에 꼭 들고 다니던 차였어요. 어느 날 잃어버려서 가족들이 찾느라 난리가 났었는데.

얼마 뒤 정비소 사장님은 다시 와서 말했어요.

"차도 많이 낡았고 크게 부딪친 적이 있었나 봐요. 센서랑 여기저기 망가졌네요. 우선 급한 것만 손봤는데 전체적으로 수리를 하시는 게 좋겠어요."

그날 저녁, 엄마는 아빠에게 전화해서 상황을 알려줬어요. 통화를 마친 엄마는 차가 낡아서 바꾸기로 했다고 말했어요.

"우리 새 자동차로 바꿀까 해."

"안 돼! 니발이가 우리 차란 말이야."

선호가 엄마를 향해 소리쳤어요.

"니발이는 내 친구란 말이야. 프랑스 갈 때도 같이 못 갔는데, 갔다 오자마자 다른 차로 바꾼다고? 니발이 안 돼! 엉엉엉."

다음 날 엄마는 아빠에게 다시 전화를 했어요.

"애들이 니발이랑 정들었나 봐. 갑자기 결정할 일은 아닌 것 같아. 천천히 생각해 보자."

그러자 연우가 말했어요.

"아니야, 생각하지 마. 니발이랑 우리는 가족이야. 이름도 지어줬잖아."

"나는 니발이가 좋단 말이야. 니발이가 내 자동차도 찾아줬단 말이야."

선호도 엄마에게 바짝 다가가 니발이가 없으면 안 된다고 말했어요.

연우는 옛 생각을 떠올리며 말했어요.

"바다에 갔을 때 돗자리 깔고 밥 먹고, 니발이에 누워서 파도 소리 들으면서 잤을 때 진짜 좋았다고."

"아아 그래, 알겠어."

"그래 자기야, 차는 잘 수리할게."

아빠와 통화를 끝낸 엄마가 연우, 선호를 달래주려고 대화를 이어 갔어요.

"연우랑 선호가 아기 때부터 니발이랑 함께해서 정이 많이 들었나 보네."

"응! 엄마가 그랬잖아. 니발이랑 나랑 똑같이 원숭이띠라고."

"그렇지, 선호 태어나는 날에도 산부인과에 데려다줬어. 그리고 보니, 연우랑 선호가 아파서 병원 갈 때, 가족들과 여행 갈 때, 마트에 갈 때도 항상 니발이가 있었네."

"응. 내 자전거 살 때도 니발이가 실어줬어."

"공원 갈 때도 킥보드랑 롤러스케이트랑 다 실을 수 있어."

바깥 놀이 좋아하는 연우도 말했어요.

"그러네. 우리 집 자동차가 최고네!"

아빠가 새 차로 바꾸자고 말했을 때 바로 좋다고 할 줄 알았는데. 아이들은 나와 함께 했던 순간들을 좋은 추억으로 간직하고 있었나 봐요. 내가 가족을 사랑하는 만큼, 나 역시 사랑받고 있었어요.

며칠 뒤 나는 정비소에서 말끔한 모습으로 고쳐졌어요. 찌그러진 곳도 펴고, 번쩍번쩍 멋진 검은색 옷으로 갈아입었어요. 나는 새로 태어난 것처럼 건강한 모습이 되었어요.

나처럼 행복한 자동차가 또 있을까요? 언제까지나 가족과 함께 하고 싶어요.

앞으로도 우리 가족을 위해 안전 운전할 거예요.

빵빵! 행복한 자동차, 니발이 나갑니다!

달에서 온
모기 라르고

박미리

박미리

어른이 되기보다는 어른과 아이 그 중간에 위치하면서 살고 싶은 어른이입니다. 현실에서는 어른의 마음으로 글쓰기에서는 아이로 변신하며 마음속 한구석 어렸을 때의 말랑한 감정을 가지고 동화 쓰기를 이어가고 싶습니다.

달에서 온 모기 라르고

달에 사는 모기 라르고는 새로운 것을 항상 확인해 보고 싶어 한다. 달에 착륙한 우주 비행선에 궁금증을 참지 못하고 안으로 들어갔다.

우주 비행선 안은 지구로 돌아가기 위해 운동을 하는 우주 비행사들과 작은 공중전화 부스 같은 곳에서 잠을 자는 우주 비행사들이 있었다.

라르고는 사람들 사이를 지나다니며, 여기저기 정신없이 구경했다.

지구로 갈 준비를 하고 있던 우주 비행선이 출발했다.

"으악! 이게 뭐야? 왜 갑자기 움직이지?"

라르고는 갑자기 출발하는 우주 비행선 안에서 탈출구를 찾아 날아다녔다.

위이이잉.

"어! 이게 무슨 소리야?"

"모깃소리인 것 같은데, 달에 무슨 모기야?"

"그래. 잘못 들었나 봐."

겁이 난 라르고는 사람들이 잘못 보는 공간으로 숨어들었고, 긴장이 조금 풀리자 잠이 들었다.

지구 대기권 안으로 진입한 우주 비행선의 어둑어둑했던 실내가 태양으로부터 받은 빛으로 밝게 물들어 갔다. 우주 비행선 안에 혼자 남아 있던 라르고는 주변을 살폈다.

우주 비행선 밖으로 나온 라르고는 이리저리 다니면서 만나는 사람들에게 말을 걸지만 아무도 라르고의 소리를 듣지 못했다.

"힘들고 배고파! 너무 정신없이 돌아다녔나 봐…."

라르고가 멈춰 선 곳은 바닷가가 있는 마을로 남색 지붕과 상아색 벽돌, 커다란 창문이 있는 2층 단독주택이었다.

라르고가 1층 거실 창문 가까이 가자, 다솜이와 엄마의 대화 소리가 들렸다.

"다솜아, 이제 초등학교 들어갔는데 숙제할 때마다 매번 울지 말고 저녁 먹기 전까지 얼른 숙제 끝내."

울고 있는 다솜이가 궁금했던 라르고는 배달 기사가 음식을 건네는 사이 집으로 들어가 다솜이에게 말을 건넸다.

"안녕?"

"이게 무슨 소리지?"

다솜이는 소리가 들린 것 같아 주변을 둘러봤지만 아무도 없었다.

위이이잉.

다솜이는 또다시 두리번거리다가, 우주 모기 라르고와 눈이 마주쳤다.

"엄마! 여기 모기야."

자기 목소리를 들은 것 같은데, 바라보지 않는 다솜이가 답답했던 라르고는 다솜이를 물었다.

모기에게 물린 다솜이는 기겁하면서, 엄마를 더 크게 불렀다.

"엄마!"

"모기 어디로 갔어?"

라르고는 지금 다솜이 엄마에게 발견되면 안 될 것 같아 책 뒤로 몸을 숨었다.

"다솜아, 모기 안 물렸어?"

"응! 물렸는데, 간지럽진 않아."

"알겠어. 혹시 간지러우면 바로 얘기해."

다솜이는 이상했다. 엄마가 밖으로 나갔는데, 엄마가 얘기하는 목소리가 들렸다.

'다솜이 모기 알레르기 있어서 모기 물리면 큰일 나는데… 걱정이네.'

"엄마 뭐라고?"

"아니! 아무 말도 안 했는데 왜?"

"엄마가 얘기하는 소리가 났는데, 아닌가?"

엄마가 나가자, 라르고는 다시 다솜이에게 말을 건넸다.

"여기야 여기!"

"어디?"

"여기! 다솜이 연필 옆에….”

다솜이는 말하는 모기에 깜짝 놀랐다.

"모기가 어떻게 말을 해?"

"나도 몰라."

"다른 사람이랑은 얘기 안 해봤어?"

"응. 다른 사람들은 내가 불러도 아무도 듣지 못했어."

"진짜?"

"응! 혹시 나한테 물려서 내 목소리를 듣게 된 거 아닐까?"

다솜이는 모기 알레르기 때문에 물리면 병원까지 가야 하는 경우가
있었다. 그래서 집에서도 모기 패치를 항상 붙이고 있는데 라르고한
테 물린 건 살짝 부풀었지만, 괜찮은 것 같았다.

"우와! 난 다솜이야. 넌 이름이 뭐야?"

"나는 라르고. 달에서 왔어."

"달? 달에서 여기까지 날아온 거야?"

"하하하. 아니. 난 날개가 작아서 여기까지 날아올 수 없어."

"그럼 도대체 어떻게 온 거야?"

"달에 온 우주 비행선을 타고 왔어."

"그러면 혼자서 온 거야?"

"응! 여기저기 돌아다니다가 배도 고프고, 힘들어서 잠시 쉬고 있

을 때 다솜이 너를 발견했어.”

“배고파? 넌 어떤 걸 먹어?”

“달에서는 물이랑 달 토끼가 만들어 준 떡을 먹었어. 그걸 먹으면 모두가 행복해지는 떡이야.”

“우와! 그런 떡이 있다니, 너무 신기하다. 그러면 물이랑 떡을 좀 갖고 올 게 기다리고 있어.”

온종일 밥을 못 먹었던 라르고는 다행히 지구 떡이랑 물도 탈 없이 먹을 수 있게 되자 배가 빵빵해지도록 먹었다.

“다솜아! 숙제 다 했어?”

“네!”

그때 다솜이 귀에 엄마 칭찬이 들려왔다.

‘우리 다솜이가 마음먹고 하면 이렇게 잘하는데, 그동안 내가 너무 채근했나 봐.’

“엄마. 칭찬해 줘서 고마워!”

어리둥절해하는 엄마 표정을 보고, 다솜이는 이상하게 생각하며 방으로 들어갔다.

다솜이는 물을 마시는 라르고한테 말했다.

“라르고 넌 달로 다시 돌아가고 싶어?”

“응! 근데 지금은 방법을 몰라. 내가 여기저기 막 돌아다녀서 내가 탔던 우주 비행선이 어디 있는지도 몰라.”

“달은 어떤 곳이야?”

“달은 여기처럼 큰 바다는 없지만, 물도 있어서 거기서 친구들이랑 수영하면서 놀았어.”

“그래? 다음에 그럼 바다에 가서 같이 수영하자. 그리고 달에 가는 방법을 찾을 때까지 나랑 같이 있자.”

“그래. 잘 부탁해!”

“나도.”

라르고는 일단 다솜이와 함께 지내기로 하고, 다음날 다솜이가 학교에 갈 때도 같이 따라가기로 했다.

1교시 쉬는 시간 같은 반 친구들이 삼삼오오 대화를 나누는 모습을 보며, 자리에 앉아있던 다솜이가 라르고한테 말했다.

“라르고 다들 친구들을 잘 사귀는데, 나는 친구 사귀기가 너무 어려워!”

“친구들한테 말을 거는 게 힘든 거야?”

“응! 처음에 어떻게 말해야 할지 잘 모르겠고, 먼저 다가가는 것도 두려워.”

“다솜이는 나랑도 이렇게 잘하잖아. 기회가 오면 금방 좋은 친구들을 사귈 수 있을 거야.”

그때 지유 목소리가 다솜이 귀에 들려왔다.

‘다솜이에게 말 걸고 싶은데, 다솜이 머리띠 이쁘다고 하면서 말 걸어볼까?’

그 말을 들은 다솜이는 갑자기 용기가 생겼다.

“지유야 우리 오늘 학교 끝나고 같이 놀래?”

지유는 활짝 웃었다.

"좋아! 나도 너랑 놀고 싶었는데."

쉬는 시간이 끝나고 다솜이는 먼저 말을 건넨 자신이 자랑스러운 듯 다시 자리로 돌아갔다. 라르고는 다솜이를 흐뭇하게 바라보았다.

3교시 체육 수업을 마치고 다솜이 반 아이들은 교실로 들어가고 있었다.

'다솜이랑 눈이 마주친 것 같은데, 같이 가자고 말 걸어볼까?'

"다솜아~."

하늘이 목소리가 다솜이 귀에 들린 것 같았다. 하지만 주변이 시끄러워 긴가민가했던 다솜이는 교실을 향해 혼자 걸어갔다.

그때 하늘이의 목소리가 또 들려왔다.

'다솜이는 내가 말 걸었는데, 아무 대답도 없어. 내가 싫은 걸까?'

그 소리를 들은 다솜이는 또 용기를 내 하늘이에게 다가가 말했다.

"하늘아, 우리 같이 교실로 갈까?"

"좋아!"

"하늘아 혹시 운동장에서 나 불렀었어? 그때 시끄러워서 못 들었어. 미안해!"

하늘이는 다솜이에게 괜찮다고 얘기하면서, 활짝 웃었다.

교실에 온 다솜이는 라르고에게 말했다.

"라르고 신기해. 어제부터 다른 사람이 속으로 하는 말이 들려!"

"그건 나한테 물려서 그래. 달에서 온 모기들에게는 그런 능력이 있거든! 내가 물면 그 부분이 빨갛게 부풀어 오르게 되는데, 그 자국이 사라질 때까지 특별한 능력을 갖추게 돼."

"어떤 능력?"

"다른 사람의 속마음을 알 수가 있어."

"친구들의 마음을 읽을 수 있게 되니까, 친구 사귀기에 자신감이 생겼어. 라르고 완전 고마워!"

"그래. 이제 다솜이에게도 친구가 많이 생기겠네!"

"그래도 내게 가장 소중한 친구는 라르고 너야!"

다솜이는 집에서 라르고와 많은 얘기를 나누다가 라르고가 물에서 태어난 걸 알게 됐다. 라르고에게 도움받은 다솜이는 라르고가 달로 갈 수 있도록 도움을 주고 싶었고 엄마에게 달의 전설을 물어보러 거실로 나갔다.

"엄마, 달에 대한 전설도 있어요?"

"많지. 그중 잘 알려지지 않은 전설 중 달의 힘 전설이 있어. 달이 사람들에게 힘과 용기를 준다는 내용인데 과거에는 달을 보고 용기를 얻는 게 가능하다고 믿었어."

"우와! 그럼 다른 전설도 있어요?"

"달의 거울 전설도 있지."

"그건 어떤 내용이에요?"

"바다의 푸른 물결이 달의 빛을 반사하여 달의 형상이 바다에 비친다고 믿었고, 달과 바다가 하나의 연결된 세계를 이룬다는 전설이야."

엄마 얘기를 듣고 방으로 돌아온 다솜이가 라르고에게 말했다.

"라르고! 엄마에게 달의 거울 전설이 있다고 들었는데, 혹시 너에게 이미 다시 달로 돌아갈 수 있는 능력이 있지 않을까?"

"바다랑 달이랑 연결되어 있다고 생각하는 거야?"

"응! 바다에 비친 달빛으로 뛰어들면 우주 모기들은 지구랑 달을 오갈 수 있는 게 아닐까? 나는 그렇게 생각하는데…."

라르고는 다솜이가 얘기한 말을 곰곰이 생각해 보았다.

'달에도 물이 있고, 지구 바닷속 깊은 곳에는 어떤 게 있는지 아무도 모르니까 어쩌면 다솜이 말처럼 연결되어 있을 수 있지 않을까?'

"다솜아, 지금 도전해 볼게."

"응! 만약 성공하면 더 이상 못 만나는 거야?"

"오히려 성공하면 내가 언제든 다시 올 수 있잖아. 실패해도 다시 또 다솜이네로 올 거니까 걱정하지 마."

"꼭 성공하면 좋겠다! 다음에는 친구들과 같이 놀러 와~."

"응! 고마워. 우리 또 만나자!"

라르고는 바닷가로 이동했다. 오늘따라 유난히 밝게 빛나는 달이 바다 위를 뚜렷이 비췄다.

"하나, 둘, 셋! 가보자~."

라르고는 바다를 향해 날아가고, 달빛이 은은하게 부서지는 곳으로 자기 고향을 생각하면서 뛰어들었다. 달빛 중심으로 간 라르고는 아스라이 사라졌다.

라르고가 떠난 뒤 다솜이 팔에도 라르고가 물어 붉어졌던 자국이 사라지자 다른 사람의 속마음을 들을 수 없게 되었다.

"지유야 우리 미끄럼틀 타고 놀자!"

이제 다솜이는 지유 마음도 하늘이 마음도 알아들을 수 있게 되었다. 그리고 다른 친구들과도 잘 사귀게 되었다.

한편, 라르고는 밝은 달빛을 타고 무사히 달에 도착했다.

"어! 라르고 어디 있다가 온 거야?"

라르고 친구 렌토가 반갑게 인사했다.

"안녕! 렌토. 지구라는 행성에 갔다 왔어."

"우와! 지구라는 곳은 어때?"

"좋아! 내가 가는 방법을 알게 됐으니까 우리 같이 가자!"

라르고는 달에 도착하자마자 다솜이에게 날아가고 싶었다.

'친구들을 데려가면 다솜이가 얼마나 좋아할까?'

미노의
어느 날

이수혜

이수혜

TV 방송작가로 활동했습니다. 영화, 토크쇼, 음식, 연예 프로그램을 작업하며 유쾌하고 버라이어티한 삶을 살았습니다. 그리고 현재는 두 아들의 엄마로 방송일보다 바쁜 나날을 보내고 있습니다. 아직 자신만의 세상이 더 즐거운 유건이와 귀여운 수다쟁이 유준이를 위한 재미있는 동화를 쓰고 싶습니다.

미노의 어느 날

"뭐야, 비 오네? 엄마가 밤에 비 온다고 한 말이 진짜였어. 신기하다."

미노가 공룡 그림이 그려진 우산을 펼치며 중얼댔어요. 매주 수요일은 학원 수업이 없는 자유의 날! 이날은 엄마가 방과 후 원하는 건 뭐든 해도 된다고 한 날입니다.

그럼, 미노는 오늘처럼 단짝 유준이 집에서 게임을 하죠. 오늘 게임에서 유준이를 두 번이나 이긴 미노는 빗물에 바지가 젖어도 상관없을 만큼 기분이 좋아 깡충깡충 뛰며 집으로 향했습니다.

집으로 가는 길엔 불빛이 환한 편의점이 있고, 여기 편의점을 지나면 미노가 엄마 아빠랑 자주 가는 삼겹살집이 나옵니다. 오늘 미노는 비가 오니 삼겹살집 뒷골목으로 가기로 했어요. 골목 안쪽은 가로등이 없어 깜깜했어요. 밤에는 절대 이 길로 혼자 다니지 말라고 엄마가 당부하던 곳이죠. 하지만 여기가 집으로 가는 가장 빠른 길입니다. 불빛 하나 없는 골목길을 보니 살짝 겁이 난 미노가 일부러 큰 소리로 말했어요.

"세상에서 가장 용감한 사나이! 그건 바로 나야 나!"

이렇게 외치고 나니 무서운 마음이 조금은 사라진 것 같았어요.

이때! '어? 저게 뭐야?'

미노는 걸음을 멈춘 채 멍하니 한곳을 쳐다봤어요. 그곳에 있는 건 아무리 봐도 고양이예요.

다리와 꼬리가 엄청 길고, 얼굴은 까만데 나머지는 하얀색이에요. 미노가 눈을 몇 번이나 깜박거려 봐도 저건 고양이가 맞습니다! 근데 글쎄 고양이가 사람처럼 두 발로 걷고 있는 게 아니겠어요! 너무 놀란 나머지 미노는 그만 우산을 놓쳐 버렸어요.

미노는 떨어진 우산을 주울 새도 없이 급히 고양이를 쫓아갔어요. 두 발로 걷는 고양이가 삼겹살집의 커다란 음식물 쓰레기통 사이로 들어가네요.

"배가 고픈가?"

조금 멀리 떨어진 채 미노는 고양이를 살폈어요. 그런데 저건 또 뭐죠?

쓰레기통 사이에 구멍이 생기더니 점점 빠른 속도로 커집니다. 미노는 마치 만화에서 본 소용돌이 같다고 생각했어요. 소용돌이 모양의 둥근 구멍을 본 고양이가 두리번두리번 주변을 살피더니 "흠! 흠!"

헛기침 소리를 내며 이내 그 속으로 들어가 버렸어요.

'뭐야, 나 진짜 꿈꾸나? 유준이랑 게임을 하다 내가 잠든 건가?'

지금 미노는 놀이공원에서 바이킹을 탈 때보다 더 울렁거리고 어지러웠습니다. 그렇게 놀란 눈만 깜빡이던 미노는 갑자기 고양이가 사라진 그곳이 궁금해졌어요.

"에라 모르겠다!"

궁금한 건 절대 못 참는 호기심 가득한 미노가 두 발로 걷는 고양이를 따라가 보기로 했어요.

쿵! 하는 소리와 함께 미노가 떨어져 도착한 곳은 바로 넓은 초원입니다. 영문도 모른 채 주변을 살피던 미노가 멀리서 아까 그 고양이를 발견했어요.

'저깄다. 사람처럼 걷는 두 발의 고양이. 근데 동물은 또 왜 이렇게 많아?'

미노는 고양이 주변에 모여 있는 코끼리, 사자, 원숭이를 보고 또다시 깜짝 놀랐어요. TV 속 동물의 왕국에서나 볼 수 있는 동물들이 미노의 눈앞에 있기 때문이죠.

'동물들이 지금 저기서 뭐 하는 거지?'

미노는 몸을 잔뜩 웅크린 채 상황을 살폈어요. 모여 있는 동물들의 표정이 너무 어두워서 그곳에 가까이 갈 수 없었어요. 울고 있는 동물도 있는 거 같았거든요. 제일 먼저 들려온 건 코끼리의 소리였어요.

"고양이 씨, 지금 상황은 어때?"

"크게 달라진 건 없어."

고양이가 동물들을 보며 천천히 말을 이어갔습니다.

"코끼리 씨는 여전히 제자리를 빙글빙글 돌기만 하고, 사자 씨는 뼈만 남은 상태야. 아무것도 먹지 않고 있거든. 물 한 모금조차 마시질 않으려 해. 이제 사자 씨에게선 밀림의 왕의 모습이라곤 찾을 수가 없어."

고양이 말이 끝나자, 그 앞에 있던 곰이 금방이라도 울 것 같은 눈으로 손을 듭니다.

"우리 형은 어때? 살아 있긴 한 거야?"

"아! 곰 씨… 그 역시 좀 심각해. 하루 종일 벽에 머리만 찧고 있었어. 내가 간 날은 그랬어."

멀리 나무 위에 매달려 있는 두 마리의 원숭이 중 한 마리가 손을 들고 외칩니다.

"우리 아가도 만나봤나? 어떤가? 말 좀 해주게."

"원숭이의 짜증은 지난번보다 더 날카로워졌어요."

아이 원숭이의 소식을 들은 엄마 원숭이, 아빠 원숭이가 큰 소리로 울기 시작했어요.

"아무래도 이곳과 달리 그곳은 좁고 어두운 환경이니까요."

슬퍼하는 동물들의 모습을 보며 고양이가 고개를 푹 숙인 채 작은 소리로 말을 이었어요.

"좋은 소식을 가져오지 못해 정말 뭐라 할 말이 없습니다."

그 이야기를 듣던 미노가 잠시 생각에 잠겼어요.

'뼈만 남은 사자? 제자리만 도는 코끼리?'

자신도 모르게 손뼉을 짝! 마주치며 외쳤어요.

"아! 그 이상한 동물들을 실내 동물원에서 본 적 있어!"

미노의 큰소리에 동물들의 시선이 일제히 미노를 향합니다.

"아니 어떻게! 거기 너! 도대체 어떻게 이곳에 오게 된 거야?"

미노를 보고 놀란 고양이가 두 발로 빠르게 다가와 물었어요.

"나… 나는 그게… 내 이름은 차미노야."

너무 놀란 미노가 더듬거리며 말을 이어갔어요.

"아까 집에 가다가 너… 너를 보게 됐고 그래서 따라왔어. 미… 미안해. 근데 나도 놀랍긴 마찬가지야! 집에 돌아가고 싶다고!"

갑작스러운 사람의 등장! 놀란 동물들은 여기저기서 웅성거렸고 고양이는 심각한 표정으로 미노를 바라봤어요. 그때 미노가 아까보다 더 큰 목소리로 말을 이어 갔어요.

"걱정 마! 내가 도울게! 실내 동물원에 있는 동물 가족들을 내가 데려다줄게!"

웅성거리던 동물들의 시선이 일제히 미노에게 향합니다.

"어떻게 돕겠단 거야?"

갑작스러운 사자의 물음에 미노가 머뭇거립니다.

"그게 말이야, 돕긴 돕고 싶은데 어떻게 하냐면…."

잠시 생각에 잠긴 미노의 입가에 옅은 미소가 듭니다.

"있잖아… 내가 신문사와 뉴스에 실내 동물원의 모습을 제보할게. 고발을 맡겨줘! 그럼, 경찰이 그 동물원의 운영자를 가만두지 않을 거야."

어느새 동물들이 미노 곁으로 모여들기 시작했어요.

"경찰이 나쁜 운영자를 데려간 사이에 우리가 동물 가족들을 탈출시켜서 이곳으로 데려오면 되잖아. 어때, 내 생각이?"

미노의 말에 동물들은 기쁨의 함성을 질렀고, 곧바로 계획을 위한 회의가 열렸습니다.

그로부터 일주일 후, 학교 수업이 끝나자마자 미노는 반에서 가장 빨리 책가방을 챙겨 교실을 나섰어요. 미노의 모습을 본 유준이가 서둘러 따라갑니다.

"야! 차미노! 오늘은 누구네서 게임 할 거야? 너네 집 어때?"

실내화 가방에서 신발을 꺼내 신으며 유준이가 물었어요.

"안돼, 안돼. 나 오늘 급하게 가볼 곳이 있어. 다음에 하자!"

친구의 게임 유혹을 뿌리치고 미노가 달려간 곳은 '○○실내 동물원'.

오늘이 바로 한 달에 한 번 동물원이 쉬는 날이거든요. 동물원의 대청소 날이라고는 하는데, 이곳에선 늘 고약한 냄새가 코를 찌릅니다. 들어가기 전에 가방에서 미리 준비해 온 검은색 야구 모자도 꺼내 푹 눌러 썼어요.

"나 왠지 오늘 폼 좀 나는 거 같은데?"

미노는 긴장을 풀어보려고 혼잣말을 해봅니다. 그때, 미리 도착해 있던 고양이가 미노를 향해 두 발로 걸어 와선 덤덤한 목소리로 말했어요.

"미노군 준비는 다 됐어?"

미노는 주머니 속 자신의 휴대전화를 꺼내며 대답했어요.

"물론이지. 이 카메라로 동물원의 모습을 담을 거야."

"생각보다 어렵고 무서울지 몰라. 그러니 돌아가고 싶으면 지금 돌아가도 좋아."

고양이는 어린 미노가 잘 해낼 수 있을지 걱정됐어요.

"나 말이야. 전에 엄마 아빠랑 이곳에 온 적이 있어. 유리창 너머로 본 동물들의 모습이 가엽다고 생각했었어. 내가 동물들을 꼭 가족들에게 보내 줄 테야!"

미노의 말에 고양이의 눈에선 금방이라도 눈물이 떨어질 거 같았어요. 그 모습을 본 미노는 조금이라도 빨리 동물들을 가족들과 만나게 해야겠다고 다짐했어요.

"고마워 미노야. 나 여기서 기다릴게. 조심히 돌아와야 해!"

"응! 걱정하지 마! 내가 꼭 해낼게."

환하게 웃어 보이며 미노는 곧장 동물원의 뒷문으로 향했어요. 고양이가 미리 알려준 그 문은 동물원 관리자만 알고 있는 비밀 출입구입니다. 불이 꺼진 동물원 안은 앞이 전혀 보이지 않을 정도로 너무 깜깜했어요. 미노는 손에 들고 있던 휴대전화 손전등을 켜고 들키지 않게 불빛을 조심스레 비추며 걸어갔습니다. 그때! 어딘가에서 큰 소리가 들렸어요. 순간 놀란 미노는 발걸음을 멈추고, 숨죽이며 몸을 움츠렸어요.

"에잇! 먹은 것도 없으면서 뭘 이렇게 많이 싼 거야! 더러워 정말!"

재빨리 휴대전화 카메라를 켜고 소리가 나는 곳으로 조심조심 발걸음을 옮기는 미노.

그곳엔 힘없이 누워만 있는 사자와 덩치가 엄청 커 보이는 한 남자가 있었습니다.

'저 아저씨가 동물원 주인인가?'

미노는 카메라에 관리자의 얼굴을 담기 시작했어요. 긴장한 나머지 미노의 손은 마구 떨렸어요. 하지만 동물 가족들을 생각하며 두 손으로 휴대전화를 꼭 잡고 녹화를 계속해 나갔어요. 관리자는 사자에게 수돗물만 채워준 채 아무런 음식도 주지 않았어요.

"그렇게 누워만 있을 거면 밥 먹을 생각은 하지도 마! 아무짝에 쓸모없는 녀석!"

동물원 관리자는 그 후로도 계속해서 동물들을 괴롭혔어요. 심지어 곰이 자신을 향해 발톱을 드러낸다고 마구 때리기도 했습니다. 미노의 떨림에 휴대전화가 좀 흔들리긴 했지만 그 모든 게 카메라에 생생하게 찍히고 있었어요.

"정말 못 봐주겠어."

그 모습을 본 미노는 눈을 질끈 감았어요.

'이 정도면 충분해. 조금만 기다려. 곧 가족들 품으로 보내줄게. 그리고 아저씨는 내가 꼭 혼내 줄게요!'

무사히 녹화를 끝낸 미노는 서둘러 동물원을 빠져나와 고양이를 찾앉어요.

"미노야! 미노야!"

고양이의 손짓을 발견한 미노가 달려가 부둥켜 안겼어요. 그러고는 안도의 한숨을 쉬었습니다.

"정말 고생했어. 무섭진 않았어?"

다독여 주는 고양이의 따뜻한 말에 긴장이 풀린 미노는 울먹이며 말했어요.

"응. 사실 나 엄청 무서웠어."

고양이는 떨고 있는 미노가 가엽고 고마웠습니다.

"용기 내줘서 고마워 미노야."

"응, 너의 보드라운 털 덕분에 이제 좀 괜찮아졌어."

미노는 고양이의 손을 잡고 말했어요.

"그럼, 이제 이 동영상만 넘기면 끝이야. 근데 우린 또 만날 수 있는 거겠지? 그치?"

미노의 물음에 고양이는 고개를 절레절레 저었어요.

"우리가 만난 그날은 내 실수로 너에게 들키고 말았어. 얼른 너를 돌려보냈어야 했는데 용기 있는 너의 모습에 나와 동물 친구들이 많은 도움을 받게 됐어. 용감한 미노 널 만난 건 우리 동물들에게 큰 행운이야. 잊지 못할 거야."

다시는 만날 수 없다는 말에 미노는 고양이를 와락 껴안고 울며 말했습니다.

"너무 보고 싶을 거야. 우리가 만난 그날은 내 인생에 가장 소중한 하루로 기억할게."

그로부터 며칠 후, 집에서 엄마 아빠와 저녁 식사를 마친 미노는 TV를 틀었어요. 평소엔 관심도 없던 뉴스 채널을 틀었습니다. 그러고는 혼자서 흐뭇한 미소를 지으며 소파에 앉았어요.

"다음 뉴스입니다. 좁은 실내에서 동물들을 사육하며 운영해 온 동물원 관계자가 경찰에 체포됐단 소식입니다. 이 운영자는 동물들을 학대하기까지 했습니다. 이 사건은 저희 기자가 단독으로 입수했는데요, 한 용기 있는 초등학생의 제보가 있었기에 가능했습니다."

뉴스에는 그렇게 미노가 찍은 동물원 동영상이 나오고 있었습니다.

어느 날 아침,

"엄마! 학교 다녀오겠습니다."

평소처럼 씩씩하게 인사하고 나오는데 미노의 집 앞에 편지 봉투 하나가 놓여있습니다.

그리고 봉투에 쓰여있는 '우리들의 영원한 친구 미노에게'

"뭐지 이게?"

고개를 갸우뚱하며 천천히 봉투를 뜯자 사진 한 장이 툭 떨어졌어요. 미노가 주운 사진 속엔 두 발의 고양이와 동물 가족들이 행복한 모습으로 있었습니다.

"무사히 갔구나. 이제 가족들과 함께 있네. 정말 다행이야."

미노의 얼굴이 환한 미소로 가득 찼어요.

콧노래를 흥얼대며 미노가 교실에 들어서자마자 단짝 친구 유준이에게 달려갔어요.

"유준아, 유준아! 내가 재미있는 이야기 들려줄까? 어느 날, 내가 골목길을 지나가고 있었는데…."

나의
완벽한 고물

조민정

조민정

뭘 하든 잘하고, 어딜 가도 이쁨 받는 완벽한 사람이 되고 싶었습니다. 괴
로웠던 나날에 아들을 만나고 많이 행복해졌습니다. 부족한 저를 늘 사랑
해 주는 아들 덕분입니다. 자라나는 즐거움을 알려줘서 고맙습니다. 완벽
해지기보다 자라나길 바라며, 저의 다짐을 글에 담았습니다.

나의 완벽한 고물

"어휴."

민호가 땅이 꺼져라 한숨을 내쉬었다. 그 바람에 민호의 앞머리가 나풀거렸다. 좋아하는 큐브 수업을 마치고 집에 가는 길이지만 발걸음은 무거웠다. 축축이 젖은 민호의 손에는 큐브가 들려있었다. 뒤숭숭한 마음에 손 닿는 대로 큐브를 비틀었다. 쓰라린 패배의 맛이 되살아났다.

'꼭 이기고 싶었는데.'

민호는 1학년 때 처음 큐브를 만났다. 유행을 따라 시작한 큐브는 민호의 일상에 자리 잡았다. 어딜 가든 붙어 다니는 단짝이 된 것이다. 잠들기 직전까지 큐브를 손에 놓지 않는 날들이 이어졌다. 그러다 처음으로 큐브의 모든 면을 완성했던 밤, 민호는 드디어 자기만의 보물을 발견한 듯한 짜릿함을 느꼈다.

'아무 도움 없이 내 힘으로 큐브를 맞췄어! 사실 나 큐브 천재 아닐까?'

민호는 실력이 느는 만큼 자부심도 커졌다. 학교에서는 '천재 스피드큐버'로 불리며 유명해졌다. 하지만 영광은 오래 가지 못했다. 얼마 전 전학 온 이진솔 때문이었다. 진솔은 큰 키에 청바지에 티셔츠만 걸쳐도 근사했다. 이보다 더 멋진 건 밝은 미소였다. 아이들은 쾌활한 진솔을 좋아했다. 진솔의 인기는 여기서 끝이 아니었다. 진솔이 큐브 교실에 온 첫날, 민호의 최단 기록을 갈아치우면서 인기는 절정을 찍었다.

그 순간부터 민호는 큐브를 두고 대결을 벌일 때마다 신경이 곤두섰다. 좀 전에 큐브 교실에서도 민호는 아이들이 모두 보는 앞에서 보기 좋게 진솔에게 패배하고 말았다.

심판을 보기로 한 대철이의 '시작' 외침에 아이들이 모여들었다. 민호와 진솔의 손에서 큐브가 회오리치듯 돌아갔다. 큐브 교실의 아이들은 숨죽이고 두 사람의 손끝만 지켜봤다. 조용한 교실에 큐브가 달각이는 소리만 가득했다. 탁! 타이머를 치는 소리가 정적을 깼다. 대철이가 확성기처럼 외쳤다.

"15.7초! 이진솔 승!"

'뭐? 더 빨라졌잖아?'

청천벽력 같은 소리에 민호의 손이 멈췄다. 진솔에게 환호하는 아이들 틈에서 민호는 조용히 큐브를 내려놨다. 아이들은 너도나도 진솔을 칭찬하기 바빴다.

"이진솔! 너 진짜 빠르다!"

"손이 하나도 안 보이더라. 마술 같았어."

"이 정도면 빠른 손 큐브 대회에서 네가 우승할 것 같은데?"

빠른 손 큐브 대회는 전국의 초등학생 큐버들이 모이는 큰 축제다. 민호도 오랫동안 연습하며 대회를 기다렸다. 하지만 진솔이 등장한 후로 대회 신청을 고민하고 있었다. 폭포같이 쏟아지는 아이들의 칭찬에 진솔은 멋쩍은 듯 답했다.

"에이, 대회에 잘하는 사람이 얼마나 많은데."

"김민호! 너도 빠른 손 대회 나가냐?"

목소리만큼 덩치도 큰 대철이가 민호를 툭 치며 물었다.

"글쎄… 그런데 처음 보는 큐브네? 새로 산 거야?"

민호는 대철의 질문을 어물쩍 넘기며 화제를 돌렸다. 사실 민호는 그 큐브를 잘 알고 있었다. 큐버라면 모를 리 없는 꿈의 모델이었다. 비싼 가격에 살 엄두를 못 내던 민호는 쇼핑몰 장바구니에 큐브를 고이 모셔두기만 했다.

"응. 이번에 대회 준비하면서 샀어. 너도 같이 나가자! 재밌을 거야."

"어… 뭐…."

해맑은 진솔의 표정에 민호의 속이 쓰려왔다. 우물쭈물하는 사이 대철이 얄밉게 훈수를 뒀다.

"김민호! 대회 나갈 거면 진솔이처럼 큐브 좀 바꿔. 그럼, 좀 빨라

질지도?"

대철이는 민호의 오래된 큐브를 가리키며 약을 올렸다.

집으로 가는 내내 조금 전 큐브 교실에서 있었던 일이 민호의 머리에서 떠나지 않았다. 경기에서 진 순간을 떠올릴 때마다 얼굴이 화끈거렸다. 대철이의 빈정거리는 목소리가 아직도 귓가에 맴도는 것 같았다. 민호는 큐브를 으스러뜨리듯 움켜잡았다.

'왜 거기서 아무 말도 못 한 거야! 바보같이!'

고개를 들어보니 어느새 집 앞이었다. 민호는 큐브를 가방에 툭 집어넣었다. 복잡한 마음을 달래듯 헝클어진 앞머리도 반듯하게 정리했다. 한숨을 푹 쉬고 현관문을 열었다.

"학교 다녀왔습니다."

엄마가 꽃무늬 앞치마에 손을 닦으며 민호를 맞이하러 나왔다.

"왔니? 오늘은 큐브 수업 어땠어?"

"평소랑 똑같아요. 재밌었어요."

민호는 벗은 신발을 가지런히 정리하며 답했다. 민호는 현관 앞에 들어섰을 때 신발이 조금이라도 흐트러지면 마음이 불편했다. 특히 기분이 안 좋은 날에는 몇 번이고 신발을 반듯이 놓아야만 속이 후련했다. 엄마는 현관 앞에서 이 모습을 물끄러미 바라보았다. 대답과 달리 축 가라앉은 민호의 목소리도 신경 쓰였다. 엄마는 민호를 북돋아 줄 마법의 주문을 알고 있었다.

"민호야, 요리 교실 하며 놀까?"

요리 만들기는 민호의 지난 겨울방학 숙제였다. 요리가 처음이면 서툴 법도 하지만 민호는 달랐다. 손놀림이 빠르고 섬세한 민호에게 요리는 어려운 숙제가 아니었다. 부모님도 민호의 완성작을 쌍 엄지를 치켜들며 칭찬했다. 이런 이유로 요리는 민호에게 큐브 다음가는 놀이였다. 엄마의 주문은 효과가 확실했다. 민호가 활짝 웃으며 답했다.

"좋아요!"

"네. 김민호 셰프님. 그럼, 손 씻고 오시고 메뉴도 알려 주세요."

엄마는 밝아진 민호를 따라 생긋 웃었다. 민호는 가방을 침대맡에 반듯하게 두고 부리나케 화장실로 달려갔다. 그리고 손을 씻으며 엄마에게 외쳤다.

"오늘의 메뉴는 달걀 프라이입니다!"

달걀 프라이는 민호의 야심작이다. 민호는 특히 달걀노른자를 동그랗게 잘 부쳐냈다. 반듯하게 부쳐낸 달걀 프라이를 보면 자신감이 차올랐다. 손을 깨끗이 씻은 민호는 가스레인지 앞에 섰다. 엄마는 매고 있던 앞치마를 풀어 민호에게 둘러주며 물었다.

"셰프님, 요리할 때 주의 사항이 있나요?"

"네. 요리할 땐 항상 조심해야 해요. 뜨거우니까요."

"잘 알고 계시네요. 셰프님. 여기 달걀이요. 맛있는 요리 기대하겠습니다!"

엄마는 셰프로 변신한 민호를 다정히 지켜보며 옆에 섰다. 민호는 익숙한 손놀림으로 가스레인지에 불을 켜고 프라이팬에 기름을 둘렀다. 프라이팬이 달궈지자 기름이 자글자글해졌다.

'지금 깨면 되겠다.'

민호는 프라이팬 모서리에 달걀을 톡 쳐서 한 번에 깨뜨렸다. 투명한 흰자 위에 동그란 노른자가 봉긋하게 자리를 잡았다.

'자, 조금 더 익으면….'

민호는 한 번에 뒤집을 완벽한 타이밍을 기다렸다. 신경을 집중하자 민호의 짙은 눈썹이 가운데로 몰렸다. 타닥타닥 기름 튀는 소리에 달걀 프라이가 노릇하게 익어갔다.

'지금이다!'

민호는 달걀 프라이의 가장자리에 뒤집개를 슬쩍 밀어 넣었다. 그런데 미끄러지듯 올라타야 할 달걀 프라이가 꿈쩍도 하지 않았다. 프라이팬에 눌어붙은 탓이었다. 겨우 뒤집은 달걀 프라이는 노른자가 다 터져서 엉망이었다. 요리 교실이 막을 내리는 순간이었다.

"아, 뭐야!"

"민호야 프라이팬이 오래돼서 그런가 봐. 눌어붙네."

민호의 짜증에 엄마가 차분히 상황을 설명했다.

"그만할래요."

"부친 달걀은? 안 먹을 거니?"

"터졌잖아요. 먹기 싫어요."

"민호야, 좀 터지면 어때? 그래도 맛있어 보이는데?"

"싫다고요! 완벽해야 의미 있는 거란 말이에요!"

엄마가 마음이 잔뜩 구겨진 민호를 다독였다.

"꼭 완벽하게 부칠 필요는 없어. 민호가 즐거웠으면 그걸로 된 거야."

"몰라요! 다 망했어. 짜증 나!"

쾅! 민호는 쿵쾅대며 방문을 닫고 침대에 풀썩 누웠다.

'완전히 망했는데 재미는 무슨…. 엄마는 알지도 못하면서.'

민호는 툴툴대며 침대맡 가방에서 큐브를 꺼냈다. 큐브를 여러 방향으로 돌려 보다 낮의 경기를 떠올렸다.

'이진솔을 어떻게 따라잡지?'

민호는 자리에서 일어나 책상 위 큐브 타이머 앞에 허리를 펴고 앉았다. 진솔을 이기겠다는 의지를 담아 큐브를 꼭 잡았다. 손에서 땀이 배어났다.

"후… 시작!"

민호의 손에서 큐브가 달각이며 리듬을 탔다. 곧이어 큐브는 리듬에 맞춰 빠르게 춤을 췄다. 그러나 땀에 미끄러지는 바람에 큐브의 스텝이 꼬였다. 스텝이 한 번 꼬이니 춤은 엉망이 됐다. 다음 회전에서 큐브가 엉켜 돌아가지 않았다.

"너까지 이럴래? 이 고물 큐브!"

민호가 분풀이하듯 큐브를 바닥에 내동댕이쳤다. 그 바람에 귀퉁이 조각 하나가 떨어져 침대 밑으로 굴러 들어갔다.

"아! 큐브 깨졌잖아! 조각은 어디로 간 거야?"

민호는 납작 엎드려서 침대 밑을 살폈다. 어두운 침대 밑에서 반짝이는 조각이 보였다. 손을 쭉 뻗어 여러 번 더듬거린 끝에 겨우 조각을 꺼냈다. 밝은 데서 다시 보니 낡은 큐브 조각이 더 꼴사나웠다.

"이게 다 고물 큐브 때문이야. 나도 멋진 큐브 갖고 싶다."

민호는 신세 한탄을 하며 떨어져 나온 조각을 큐브에 끼웠다. 그런데 이상하게도 큐브 조각들이 덜그럭댔다.

"왜 이러지? 던지면서 망가졌나?"

민호는 당황하며 큐브를 달칵 돌렸다. 그러자 꽉 닫혀있던 큐브의 틈새가 열렸다. 그 사이로 강한 빛이 뿜어져 나왔다. 순식간에 민호의 방이 하얀빛으로 물들었다.

"아! 눈부셔."

민호는 눈을 찡그렸다. 그리고 빛 속으로 민호의 몸이 점점 빨려 들어갔다. 큐브가 민호를 끌어당기고 있었다.

'이게 무슨 일이지? 대체 여기가 어디야?'

눈을 떠보니 컴컴한 곳에 혼자 서 있었다. 눈이 어둠에 익숙해지자, 민호는 주변을 이리저리 살펴보았다. 민호는 침대 앞에 서 있었다. 침대 맞은편에는 책상과 키가 큰 서랍이 하나 있었다. 어두운 우주 한가운데 놓인 방처럼 보였다.

"여기 아무도 없어요?"

"민호야, 안녕!"

"으악!"

민호의 등 뒤에서 누군가 불쑥 말을 걸었다. 잔뜩 긴장한 민호의 다리가 맥없이 풀렸다.

"앗, 놀라게 하려던 건 아니었어. 너무 반가운 바람에 그만. 미안해."

주저앉은 채 뒤를 돌아본 민호는 목소리의 주인을 아래에서 위로 쭉 훑어봤다. 빨간색 운동화에 찢어진 청바지, 우주가 그려진 티셔츠 차림이었다. 얼굴을 본 순간 민호는 놀라움에 입이 떡 벌어졌다. 얼굴이 있어야 할 자리에 큐브가 있었다. 사람 모습을 한 큐브였다!

민호의 경계하는 눈빛이 큐브의 맑은 눈동자와 부딪혔다. 큐브는 미안한 표정으로 손을 내밀었다. 얼떨결에 큐브의 손을 잡고 일어난 민호는 추궁하듯 물었다.

"넌 누구야?"

"친구를 몰라보다니 서운한걸. 네가 1학년 때부터 쭉 같이 놀았잖아."

"뭐? 너랑 나랑 친구라고?"

섭섭함이 잔뜩 묻은 대답에 민호는 큐브의 얼굴을 다시 천천히 살폈다. 여기저기 긁힌 자국에 모서리와 귀퉁이 쪽에는 유독 흠집이 많았다. 민호가 큐브를 돌릴 때 생긴 흔적이었다. 그래도 민호의 미심쩍은 눈빛이 풀리지 않자, 큐브가 확신을 주듯 말했다.

"오늘은 네가 연습하다가 날 떨어뜨렸잖아. 좀 아팠어."

큐브는 깨졌던 부분을 손으로 문지르며 쓰라린 표정을 지었다.

'사실 화가 나서 던진 거였는데….'

민호는 아파하는 큐브를 보니 미안한 마음이 들었다.

"널 아프게 하려던 건 아니었어. 미안해. 그런데 여긴 어디야?"

"여긴 내 방이야."

"큐브도 방이 있어? 그건 오늘 처음 알았네. 신기하다."

"나도 너처럼 방에서 쉬기도 하고 놀기도 해. 오늘은 너랑 같이 재밌게 놀려고 불렀어."

민호는 호기심 어린 눈으로 방을 낱낱이 둘러봤다. 다시 봐도 별다를 게 없었다.

"여기서 뭐 하고 놀아? 어둡기만 하고 딱히 특별한 건 없는데?"

"너 내 매력이 뭔지 알아?"

'큐브의 매력?'

순간 민호의 말문이 막혔다. 잃어버린 무언가를 더듬으며 찾는 기분이었다. 민호가 멈칫하자, 큐브가 눈을 찡긋하며 웃었다.

"바로 무궁무진하다는 거야!"

큐브는 상쾌하게 말하더니 책상 옆에 있던 서랍을 활짝 열었다. 서랍 안에는 온갖 큐브들이 다 모여 있었다. 민호의 눈이 보물함을 열어 본 것처럼 휘둥그레졌다.

"우와! 큐브 엄청 많다! 나한테 없는 것도 있잖아?"

"얘네랑 같이 놀면 더 재밌을 거야."

"근데 난 이렇게 어려운 건 맞추는 방법을 모르는걸…."

민호는 복잡해 보이는 큐브를 가리키며 자신 없이 말했다. 큐브는 걱정을 떨쳐내듯 크게 웃었다.

"못 맞춰도 괜찮아. 맞추는 건 맨날 하는 거잖아. 오늘은 다른 방법으로 놀자!"

큐브는 서랍에 든 큐브들을 우수수 쏟아내고 자리에 앉았다. 그리고 큐브 하나를 집더니 조각을 떼어내기 시작했다. 민호는 어리둥절하게 선 채로 이 모습을 지켜보았다.

'맞추지 않고도 노는 방법이 있다니. 궁금하긴 하네.'

민호는 큐브를 마주 보고 앉았다. 어려워 보였던 큐브부터 집어 조각을 떼어냈다. 열중한 두 사람 옆으로 큐브 조각이 금세 쌓였다. 민호는 수북이 쌓인 큐브 조각들을 바라보았다. 보석을 캐낸 광부가 된 것 같았다.

"이 정도면 충분할 것 같네."

큐브는 땀을 털어내듯 휘리릭 회전했다.

"이제 뭘 하려고?"

"조각을 하늘을 향해 힘껏 던져봐. 답답했던 마음이 뻥 뚫릴걸?"

큐브의 말에 민호는 조각 하나를 손에 꽉 쥐었다. 그리고 있는 힘을 다해 조각을 던졌다. 조각은 하늘에 박혀 어둠 속에 반짝였다. 민호의 탄성이 절로 터져 나왔다.

"우와! 큐브가 별이 됐어!"

"엄청 멋지지?"

"응! 네 말처럼 마음도 시원해졌어."

"큐브는 조각끼리 꽉 붙어서 닫혀 있잖아. 그래서 가끔은 자유롭게 날고 싶을 때가 있어. 우주를 나는 것처럼 말이야."

민호는 큐브의 말이 어떤 의미인지 알 것 같았다. 민호는 고개를 끄덕이며 큐브에게 말했다.

"그럼, 지금부터 조각들을 다 날려 보내자. 우리만의 우주를 만드는 거야."

"좋은 생각이야!"

민호와 큐브는 깜깜한 하늘을 별빛으로 수놓았다. 두 사람이 쏘아 올린 조각은 별똥별이 되어 날아갔다. 조각들을 한 움큼 쥐어 흩뿌리면 은하수처럼 하늘에 흘렀다. 어두웠던 방은 어느새 영롱한 빛으로 가득 찼다. 민호와 큐브는 땀을 식히며 찬란한 밤하늘 아래 나란히 누웠다. 별빛을 바라보던 민호가 나지막이 말했다.

"사실 내 큐브 실력이 최고인 줄 알았다? 그래서 경기에서 지면 자존심 상하고 화도 났어. 대회에는 잘하는 사람이 훨씬 많을 텐데, 내 실력이 형편없을까 봐 겁나."

"민호야, 완벽하지 않아도 돼. 그냥 오늘처럼 재밌게 놀아! 그거면 충분해."

다정한 큐브의 말을 듣자, 민호는 용기가 났다.

"그래. 집에 가면 엄마랑 같이 대회 신청을 해야겠어."

"분명 멋진 축제가 될 거야. 응원할게."

민호는 별빛이 담긴 큐브의 눈동자를 가만히 들여다봤다. 문득 큐브의 이름이 궁금해졌다.

"너는 처음부터 내 이름을 알고 있었잖아. 네 이름은 뭐야?"

"고물. 네가 고물이라고 부르던데, 무슨 뜻이야?"

민호는 부끄러운 마음을 토해내듯 말했다.

"아니야. 보물이라고 불렀어. 세상에서 제일 반짝인다는 말이야."

"와, 정말 근사한 뜻이네. 너도 나에게 보물이야."

민호의 시원한 마음에 뜨거운 기쁨이 차올랐다. 자연스레 입가에 미소가 번졌다. 큐브는 흐뭇한 표정의 민호를 바라보다 자리에서 벌떡 일어나 말했다.

"참, 맞다! 널 초대한 기념으로 선물을 하나 준비했거든, 침대 밑에 뒀는데 찾아볼래?"

"와, 선물까지 준비했어?"

선물이라는 말에 민호는 반색하며 일어나 침대 가로 갔다. 그리고 엎드린 채 침대 밑에 손을 쑥 뻗었다. 이리저리 손을 휘적이자 작은 상자가 잡혔다. 상자를 열어보니 큐브가 달린 열쇠고리가 담겨 있었다. 민호의 등 뒤에서 큐브가 말했다.

"민호야, 어딜 가든 꼭 함께할게. 우린 친구니까."

민호가 돌아서 큐브를 바라봤다. 환하게 웃는 큐브 틈 사이로 하얀 빛이 새어 나왔다. 민호는 눈이 부셨다.

눈을 떠 보니 민호는 침대 가에 앉아 있었다. 한 손에는 큐브, 다른 손에는 큐브 열쇠고리를 꼭 쥐고 있었다. 민호는 침대맡에 뒀던 가방에 열쇠고리를 매달았다. 그리고 자리에서 일어나 책상 서랍을 열었다. 모아뒀던 큐브들 사이에 보물 큐브를 소중하게 내려놓았다.

'고마워, 보물 큐브!'

똑똑. 엄마가 방문을 두드렸다.

"민호야, 기분은 좀 어때? 저녁 먹게 나오렴."

시계를 보니 벌써 저녁 식사 시간이었다. 민호는 꼬르륵거리는 배를 쓰다듬으며 거실로 나갔다. 식탁 위에는 민호가 좋아하는 달걀 볶음밥이 차려져 있었다. 엄마가 민호의 달걀 프라이를 다져 새롭게 만든 것이었다.

"민호표 달걀 프라이의 재탄생! 엄마 마음도 좀 담아봤지. 어때?"

볶음밥 위에는 케첩으로 삐뚤빼뚤한 하트가 그려져 있었다. 엄마의 따뜻한 마음이 느껴졌다. 민호는 빙긋 웃으며 숟가락을 들었다.

"잘 먹겠습니다!"

민호는 달걀 볶음밥을 양 볼 가득 퍼 담았다. 고소한 맛에 기운이 살아났다.

"엄마, 저 내일 큐브 대회 신청할래요."

"그래. 좋은 추억이 될 거야. 엄마도 벌써 신나는데?"

엄마의 경쾌한 미소에 민호가 함박웃음으로 답했다.

'이제부터 시작이야. 이번엔 어떤 우주가 펼쳐질까?'

민호의 마음에 새하얀 별이 반짝이며 떠올랐다.

용왕님네
용한 병원

서영지

서영지

어릴 적 책상 밑에 들어가 엄마가 그만 보라고 성화일 때까지 책을 보곤
했습니다. 지금은 공공기관에 행정직으로 근무하는 6년 차 과장입니다.
이번 책을 시작으로 동화의 세계로 돌아가 재미있는 책을 많이 쓰고 싶습
니다.

용왕님네 용한 병원(용용병원)

황금빛 노을이 반짝이는 해변을 북북이가 산책하고 있었어요. 북북이는 아름다운 연갈색의 등 껍데기를 가진 거북이예요. 북북이의 단단한 등 껍데기가 햇빛에 반짝하고 빛났어요. 그 순간 거북이의 눈에 소라게가 들어왔어요. 소라게는 파도에 흔들리면서 소라껍데기를 썼다 벗었다 하고 있었어요.

"으응? 저건, 소라게 아니야?"
행동만큼이나 말투도 느긋한 북북이가 말했어요.
"어이쿠 라게 살려!"
라게에게는 자주 일어나는 일이지만, 잘못하다가는 소라껍데기가 날아갈 수도 있기 때문에 조심해야 해요. 껍데기가 없으면 라게의 연약한 배와 꼬리가 드러나서 금세 다칠 수 있거든요.

아참, 소라게를 아시나요? 소라게는 말랑말랑한 게라고 생각하면
돼요. 그래서 자기 몸집보다 큰 소라껍데기를 찾아서 쓰고 살아가지
요. 몸집이 커가면서 열 번도 넘게 집을 바꾸기도 한답니다.

"어이 거북아 이리 와서 파도 좀 막아줘!"
힘에 부친 라게가 말했어요.
"내 이름은 북북…. 금방 가서 구해줄게. 끙차."
마음만은 벌써 라게 앞에 가서 파도를 막아줄 북북이인데, 걸음이
무척 느리군요.
"북북이고 뭐고, 왜 저렇게 굼떠 정말."
라게는 파도에 한 바퀴 데구루루 구른 후, 잠잠해진 순간을 놓치지
않고 잽싸게 모래사장으로 달려 나왔어요.
"미안해. 등 껍데기가 딱 달라붙어 있어서…. 내가 원체 걸음이 느
리거든."
북북이는 진심으로 미안해하면서 말했지요.
"내 이름은 라게야. 나는 얼마 전에 조금 큰 집으로 이사했더니 아
직 적응이 안 되네. 내가 무리했나?"
"이사?"
북북이가 눈을 끔뻑 감았다 떴어요.
"그래 이사. 나는 몸이 커가면서 크기가 맞는 소라껍데기를 찾으러

다닌다고. 너, 집 장만하기가 얼마나 어려운 줄 아니? 이사 가는 것도 한두 번이지."

라게는 이사 다니는 일이 진짜 괴로웠거든요. 크기가 적당한 껍데기를 찾는 것도 일이에요. 그리고 집을 잘 구했다고 해도, 이사를 하느라 껍데기에서 나오는 순간 언제 어디서 적이 공격할지 모르거든요.

"그럴 수도 있겠다. 이사는 참 고생스러울 것 같아. 그래도 나는 네가 부러워. 태어날 때부터 집에 갇혀 있는 느낌이란…. 나는 한 번만 등 껍데기를 벗어보는 게 소원이야."

북북이는 처음 보는 라게 앞에서 눈물을 글썽였어요.

"북북아, 너는 참 어리석구나. 집을 가지고 태어난 것이 얼마나 감사한 것인 줄도 모르고. 나는 튼튼한 나만의 집이 내 등에 떡하니 붙어있다면 얼마나 좋을까 매일 매일 꿈꿨다고!"

라게는 북북이가 어이없다는 듯이 말했어요.

"우리가 서로 바뀐다면 참 좋을 텐데. 너는 너만의 집을 평생 가지고, 나는 집에서 자유로워지고 말이야."

북북이는 정말로 등 껍데기가 답답했거든요.

"우리한테 방법이 있을 수도 있어!"

라게는 얼마 전에 바다 친구들한테 들은 병원이 갑자기 생각났어요.

'맞다, 용왕님네 용한 병원!'

용용병원은 바다를 지키는 왕, 용왕님이 차린 병원이에요. 용왕님의 실력이 아주 훌륭하다고 바다에 입소문이 났어요. 말도 안 되는 수술도 성공적으로 해주는 곳이래요. 얼마 전에는 민물고기가 되고 싶은 바닷물고기가 병원에 찾아왔었는데요, 짠 바다에서 살던 물고기가 민물에서도 적응할 수 있는 수술을 해서 민물로 이사했다네요.

"안녕하세요? 용왕님. 저는 라게이고 이쪽은 북북이에요. 저희 둘은 비슷한 듯 달라요. 북북이는 등 껍데기 집을 가지고 태어나서 매우 갑갑하고요. 저는 제 집으로 쓸 만한 소라껍데기를 찾아다니느라 너무 힘이 들어요."

"예, 안녕하세요? 우리 병원을 찾아주셔서 감사합니다. 라게 씨의 말을 듣자 하니, 상대방과 자기 모습을 서로 바꾸길 원하는군요?"

흰 수염 같은 청진기를 목에 건 용왕님이 말했어요.

"네, 맞아요. 용왕님. 듣던 대로 용하시네요. 저희 모습을 어떻게 바꿀 수 있을까요?"

라게가 말했어요. 북북이는 옆에서 고개를 천천히 끄덕였지요.

"그렇다면 북북 씨의 등 껍데기를 떼어내서, 썼다 벗었다 할 수 있게 해주면 되겠습니까? 라게 씨에게는 평생 쓸 수 있는 튼튼하고 큼직한 껍데기 집을 붙여주고요."

와, 역시 용왕님은 바로 해답을 주네요.

"네 용왕님! 제가 원하던 게 그거예요. 저는 오늘이라도 수술을 하고 싶어요. 북북아 너도 그렇지?"

"네 맞아요. 북북이도 자유로워지고 싶습니다….."

북북이가 라게만큼 강한 의지를 드러냈어요.

잠시 후 수술대인 너른 바위 위에 나란히 누운 북북이와 라게. 수술이 잘 끝날 수 있을까요?

"수술 시간이 길 수 있습니다. 지금부터 마취약이 들어갈 거예요. 긴 잠을 잔다고 생각하고 편하게 눈을 감으세요."

용왕님은 북북이와 라게의 팔에 마취약을 넣기 시작했어요.

"아아 머리야, 여기가 어디지…?"

북북이가 마취에서 깨어나서 정신을 못 차리고 있나 봐요.

"용왕님, 저희 수술이 잘 끝났나요?"

라게는 북북이 보다 정신을 더 빨리 차리고는 용왕님을 찾으며 말했어요.

"네, 아주 완벽하게 성공했지요."

용왕님이 다가와 북북이와 라게를 안심시켰어요.

북북이는 신이 나서 등 껍데기를 벗어서 쥐고 흔들며 춤을 췄어요. 기분이 날아갈 것 같은 북북이는 곧장 제일 좋아하는 해변 산책로로 달려갔어요. 그러고는 껍데기를 벗어 핑그르르 모래사장으로 굴리기도 했어요. 북북이의 부드러운 살갗 곳곳에 살랑이는 바람이 와 닿았어요. 이런 느낌은 처음이에요! 아니…? 이런 따가운 느낌도 처음이에요.

"아야!"

무슨 일이죠? 북북이의 껍데기가 앞으로 휙 하니 날아가 버렸어요. 북북이의 말랑한 등살이 어딘가 따끔하고요.

"끼룩."

무서운 갈매기 한 마리가 날아가고 있어요. 북북이의 등이 따끔한 건 저 갈매기가 발톱으로 할퀴고 갔기 때문인 것 같아요. 저쪽으로 내동댕이쳐진 껍데기를 주우러 달려가는 북북이! 보호막도 없이 여린 몸으로 달려가자니 심장이 벌렁벌렁, 눈에는 눈물이 맺히고 있어요. 북북이는 간신히 껍데기를 되찾아 썼어요.

"내가 이제 껍데기 집을 벗을 수 있다는 것을 안다면, 다른 동물들이 날 해치러 올 거야."

북북이는 안전한 곳을 찾아 나섰어요. 껍데기가 벗겨지지 않게 움켜쥐면서 걷는 건 왜 이리 어려운지요. 그런데 또 한 번 갈매기가 끼룩거리며 날아오는 것이 아니겠어요? 북북이의 수술 사실을 어디서 들은 걸지도 몰라요. 갈매기가 북북이의 등 껍데기를 이리 쪼고 저리 쪼아댔어요. 북북이는 흔들리는 껍데기를 부여잡고 엉엉 울면서 바다로 도망쳤어요.

한편 라게는 수술이 성공적으로 끝나자마자 소라게 식구들에게 달려갔어요. 잠깐만요! 정확히 말하면 달려가지는 못했지요. 라게는 소라껍데기 집이 붙어버렸기 때문에 움직임이 불편해요. 그래서 예전보다 확실히 느려졌지요.

"그래도 뭐 이 정도 불편한 건 감수해야지. 나는 이제 튼튼한 집이 생겼잖아. 그것도 평생 딱 달라붙어 있는 나만의 집! 하하하."

라게는 집이 생겼다는 것이 만족스러웠어요. 하지만 소라게 식구들의 반응이 이상한 것 같아요. 라게를 축하해 줬지만, 어딘가 모르게 라게가 불편한가 봐요. 라게는 걸음이 느려서 같이 다닐 수가 없거든요.

"언니, 이 소라껍데기에 들어가 봐."

오늘은 키가 자라고 있는 소라게들끼리 함께 집을 바꾸는 날이에요. 멋지고 큰 새 소라껍데기를 발견하면 키가 큰 순서대로 옹기종기 줄을 선답니다. 그러고는 제일 큰 소라게부터 새 껍데기에 집게발을 대고 크기를 재보는 거예요. 그러다 새집이 딱 맞는 소라게가 이사를 시작하면, 그 뒤의 소라게부터 차례대로 한 칸씩 앞집으로 이사해요. 정말 재미있는 가족이지요?

이제 라게는 집을 바꿀 때 소라게 가족들과 함께할 수 없네요. 외톨이가 된 것 같은 서글픔이 파도처럼 철썩 밀려오고 있어요. 무언가 골똘히 생각하던 라게는 슬그머니 어디론가 사라졌어요.

"엉엉."

용왕님을 찾아온 북북이가 울고 있어요.

"용왕님 계시나요?"

얼마 전까지 씩씩하고 신이 났던 라게는 왜 다시 병원을 찾아왔을까요?

"용왕님 제발 다시 제 모습을 돌려주세요!"

라게와 북북이가 동시에 용왕님께 소리치며 애원했어요.

"일어나서 자기 모습을 보세요. 원래대로입니다."

용왕님이 북북이와 라게를 흔들어 깨우며 말했어요. 북북이와 라게의 덜 깬 눈이 갑자기 동그래지면서 서로를 쳐다봤어요. 너른 바위에 누운 채로요. 물론 북북이의 등 껍데기는 원래대로 튼튼하게 붙어있고, 라게의 소라껍데기도 언제든지 나왔다 들어갔다 할 수 있어요.

"네? 다시 수술해달라고 한 건데 무슨 말씀을 하시는 거지요?"

라게가 도대체 무슨 상황인지 감을 못 잡으면서 말했어요.

"제가 마취약에 복어 독을 조금 넣어서 여러분이 환상적인 경험을 하도록 한 겁니다. 다시 말해 수술하면 어떨지 겪어보고 돌아온 겁니다. 어떤가요, 그래도 수술을 하고 싶으면 당장 준비할까요?"

용왕님이 빙긋 웃으면서 말했어요.

"아니요! 북북이는 없던 일로 하겠습니다. 저는 지금 제 모습에 만족하거든요."

북북이는 이제 라게가 부럽지 않나 봐요.

"용왕님은 명의가 맞으십니다. 저희가 서로를 부러워하는 것은 그만하도록 하겠습니다. 저도 몰랐던 제 마음의 병이 치료가 된 것 같네요."

라게가 큰 깨달음을 얻었나 봅니다.

"자, 라게 씨와 북북 씨, 앞으로는 다치거나 아플 때만 이 병원에 오세요. 누군가가 부러워서 오지는 마시고요."

용왕님이 북북이와 라게의 소중한 집, 껍데기를 토닥이며 다정한 배웅 인사를 건넸어요.

우리 집
비밀 친구
테오

최진희

최진희

지금까지 해야 하는 일들을 잘해 내기 위해 열심히 살았습니다. 이제는 하고 싶었던 일도 하고 싶어 동화 쓰기를 시작했습니다. 그리 잘하진 못하더라도 마음 따뜻하게 여운 있는 동화를 썼으면 하는 새로운 꿈이 생겼습니다. 제 스스로의 꿈을 응원합니다.

우리 집 비밀 친구 테오

"안녕히 다녀오셨어요."

해인이는 퇴근하는 아빠에게 인사만 하고 얼른 방으로 들어왔다. 아빠와 눈도 안 마주치는 이 상황이 별로지만 아빠와 얘기하는 것은 더 싫었다.

며칠 전, 해인이는 파자마 파티에 초대됐다고 엄마 아빠에게 말했다. 당연히 허락할 줄 알았던 아빠는 "안 돼." 한마디로 해인이 말을 잘랐다.

"왜 안 되는데? 서윤이 생일이라 친구들 다 가기로 했단 말이야."

"그다음 날 일찍 할머니 집에 가는 거 잊었어?"

아빠는 단호했다.

"출발하기 전에 오면 되잖아!"

"조해인, 고집부리지 마! 아빠가 한 번 안 된다면 안 되는 거야."

아빠한테 말을 안 한 것이 그날부터였다. 그런데 오늘이 파자마 파티에 가기로 했던 날이다. 해인이는 예전에 양팔을 활짝 펴고 자주 안아주던 아빠를 생각했다. 무서운 놀이기구도 함께 타면서 신나게 해주던 아빠였다. 해인이는 자기 얼굴을 보며 '하하하' 크게 웃는 아빠가 참 좋았다.

'옛날 아빠가 보고 싶어.'

해인이는 속상했다. 언제부터인가 다정하던 아빠가 변한 것 같았다.

할머니 집에 가는 길, 뒷좌석에서 졸고 있던 해인이 귀에 엄마 아빠의 말소리가 들렸다.

"해인이한테 얘기할 때 좀 더 부드럽게 얘기하면 안 돼요? 화를 내면서 얘기하니까 아이가 더 속상해하잖아요."

엄마의 조용한 목소리 뒤에 아빠의 목소리가 들렸다.

"나도 알고 있어요. 그래서 조심하려고 하는데, 아이가 크면서 말을 안 들으니까 자꾸 화가 나네. 어렸을 땐 씩씩하고 겁 없는 것도 날 닮아서 신기하고 좋았는데."

"당신도 누가 큰 소리로 얘기하면 싫지 않아요? 당신 말대로 해인이가 당신을 많이 닮았다는 걸 자꾸 잊으면 어떻게 해."

해인이는 잠결에 생각했다.

'내가 아빠를 닮았다고? 말도 안 돼. 난 아빠랑 달라!'

"할머니, 해인이 왔어요"

"우리 강아지! 해인이 왔어. 이게 얼마 만이야? 그새 키가 할머니만큼 커졌네."

몇 달 만에 만나는 할머니를 보자마자, 해인이는 와락 할머니에게 안겼다.

"할머니, 진짜 보고 싶었어요."

할머니 집은 할머니가 어렸을 때부터 살던 곳이었다. 해인이 아빠도 초등학교 때까지 그 집에서 지냈다. 하지만 해인이 아빠가 중학생이 되어 도시로 이사 간 후 20년 넘게 아무도 살지 않는 빈집이었다. 그러다 작년 가을에 할머니가 고향에서 살겠다고 결정하셨다. 해인이는 할머니와 아빠, 엄마가 집 공사 얘기를 할 때부터 이 집이 정말 궁금했다.

'할머니랑 아빠 모두 어렸을 때 살던 집이라니! 빨리 보고 싶어.'

해인이는 빨리 여름방학이 오기만을 바랐다.

할머니 집은 해인이가 생각했던 것보다 더 근사했다. 넓은 마당과 툇마루도 좋았지만, 집 뒤에 바로 보이는 산이 제일 마음에 들었다.

"할머니, 산에 올라갈 수도 있어요?"

"그럼. 뒷마당에서 바로 가는 길도 있는걸? 점심 먹고 한 번 가 볼래?"

해인이는 집에서 산으로 올라가는 길이 있다는 말에 호기심이 생겼다.

"할머니, 그럼 지금 뒷산이랑 동네 구경 조금만 하고 올게요."

"우리 해인이가 많이 궁금한가 보네. 금방 점심 해 줄 테니까 먹고 나갔다 와."

웃으며 말씀하시는 할머니의 말이 끝나자마자 아빠가 말했다.

"해인! 몇 달 만에 할머니 만났는데, 너 놀 생각만 해? 점심 먹고 다 같이 산책 가면 좋잖아."

해인이 말에 또 뭐라고 하다니, 역시 아빠였다.

"점심 준비하는데 한 시간 넘게 걸리잖아."

아빠 말에 해인이도 참지 않고 대답했다.

"너 할머니 앞에서 아빠한테 말대답할래?"

"아빠야말로 왜 또 그러는데? 왜 또 나만 야단치는데?"

해인이는 눈물이 나서 무작정 문을 열고 나와 버렸다. 왜 그런지 아빠한테 눈물을 보이고 싶지 않았다.

해인이가 향한 곳은 산으로 이어진 뒷마당 길이었다. 흙길에는 아파트에서 본 개미들보다 훨씬 큰 개미들이 바쁘게 지나다니고 있었다. 예쁜 무늬의 나비들과 눈이 무섭게 생긴 사마귀도 볼 수 있었다. 처음 듣는 새소리들도 신기했다.

"새야, 안녕. 너는 참새 친구지? 비슷하게 생겼는데 색깔이 더 예쁘네."

'어? 초록색 곤충이다! 사진 찍고 싶은데 핸드폰을 두고 왔네.'

그렇게 얼마나 걸었을까? 다리가 아파진 해인이는 잠깐 쉬고 싶었다. 주위를 둘러보던 해인이의 눈에 나무 한 그루가 보였다. 굵은 나뭇가지가 사방으로 넓게 뻗어 있었고, 가지 사이 가득한 나뭇잎들은 햇살에 반짝반짝 빛났다. 울퉁불퉁 나무껍질에는 나무가 겪은 세월만큼 두텁게 이끼가 끼어 있었다.

'하나, 둘, 셋, 넷….'

나무 오른쪽 가지 끝에서 왼쪽 가지 끝까지 폴짝폴짝 뛰어 보니, 아홉 걸음이나 되는 커다란 나무였다.

'정말 멋지다!'

해인이는 나무에 기대앉았다. 솔솔 불어오는 바람에 시원함을 느끼며 나무에게 말을 걸었다.

"안녕, 이름 모를 나무야. 아마 네가 우리 할머니보다 나이도 더 많겠지? 난 '8살 조해인'이야. 너처럼 큰 나무는 처음 봤어. 내가 쉴 수 있게 해줘서 고맙다."

그때, 가지 끝을 만지며 나무와 악수를 하던 해인이 눈에 검은 구멍이 얼핏 보였다. 나뭇잎에 가려져 잘 보이지 않았지만, 가까이 가니 나무 중간에 야구공 크기의 구멍이 있었다.

'신기한 구멍이네. 다람쥐 집인가?'

구멍 안은 어두워서 아무것도 보이지 않았다.

'뭐가 있을 것 같은데? 귀여운 동물이 살고 있으면 좋겠다.'

이번에는 조심스럽게 팔을 넣었다. 아무것도 만져지지 않았다. 해인이는 조금 더 팔을 집어넣었다.

'어? 어! 어!'

순간, 해인이 몸이 구멍 속으로 쑥! 빨려 들어갔다.

해인이는 미끄럼틀처럼 생긴 커다란 나뭇가지를 타고 순식간에 폭신한 바닥에 떨어졌다. 연한 핑크빛 풀밭에 내려진 해인이는 깜짝 놀라 주변을 둘러봤다. 눈앞에 가득히 늘어선 나무들은 마치 춤을 추듯 기분 좋게 흔들리고 있었다. 비둘기만 한 나비들이 훨훨 날아다녔다. 나무 위로 올라가는 하늘색 다람쥐와 투명 애벌레도 보였다. 툭 튀어나온 눈이 몸의 절반을 차지하는 붉은 색 곤충들이 천천히 줄지어 가고 있었다. 나무 위를 쳐다보니 무지개색 과일들이 주렁주렁 달려 있었다.

'만화 속 세상에 온 것 같아!'

그렇게 정신없이 둘러보고 있는데, 갑자기 뒤쪽에서 말소리가 들렸다.

"인간 아이가 왔네. 이젠 안 오는 줄 알았는데."

뒤를 돌아보니, 온몸이 나뭇잎과 풀로 뒤덮인 누군가가 해인이를 보며 환하게 웃고 있었다. 팔다리는 나뭇가지였다!

해인이는 순간 도망가야 하나 잠깐 고민했지만 그러지 않기로 했다.

'괜찮겠지? 나쁜 아이라면 저렇게 착하게 웃지는 않을 거야.'

키가 비슷해서 그런지 친밀한 느낌을 받은 해인이는 용기 내서 인사했다.

"안녕? 여긴 어디야? 넌 누구야?"

"여기는 인간 세계와는 또 다른 세상이야. 난 그냥 이 세상에 존재

하는 존재지. 굳이 얘기하면, 이곳에 오는 인간 아이에게 길을 안내하는 '안내자'란다."

아주 느린 속도로 그 아이가 대답했다.

"이름은? 내가 뭐라고 불러?"

"내 이름은 아주 많기도 하고 없기도 해."

해인이는 어리둥절했다.

"이름이 많기도 하고 없기도 하다는 것이 무슨 소리인지 모르겠어."

그 아이는 다시 대답을 했다.

"이곳에서는 이름이라는 것이 없어. 그냥 서로가 서로의 존재를 알고 느껴. 그래서 내 이름은 없단다. 하지만, 이곳에 왔던 인간 아이들은 꼭 이름을 부르고 싶어 하더라. 그래서 내 이름은 나무 요정, 그루, 트리, 몬스터, 풀잎이, 그 밖에도 많아. 모두 인간 아이들이 지어준 이름이지. 내 마지막 이름은 '테오'였어. 아주 오래전에 마지막으로 왔던 인간 아이가 날 '테오'라고 불렀거든."

"테오? 그 이름 마음에 드는데? 나도 그렇게 부를게. 내 이름은 해인이야."

"음, 그리고 보니 넌 마지막으로 왔던 그 인간 아이와 많이 닮았구나. 그 아이는 남자아이였는데 너랑 말하는 것도 얼굴도 비슷했었어."

그때 갑자기 궁금한 것이 생각 난 해인이가 테오에게 물었다.

"그런데, 난 이곳에 어떻게 왔는지 모르겠어. 다른 아이들은 어떻게 집에 돌아갔어?"

테오는 빙긋이 웃으며 해인이의 궁금증을 해결해 줬다.

"이곳에 연결된 나무 구멍은 느티나무에게 말을 걸고 인사를 하는 인간 아이들에게만 보인단다. 여기에 온 인간 아이들은 한바탕 즐겁게 놀다가 모두 집에 잘 돌아갔어. 집에 가는 길은 알려줄 테니 걱정하지 마."

비로소 마음이 놓인 해인이는 테오의 말대로 이곳에서 아주 재미있게 놀기로 마음먹었다.

"우선 네 옆에 있는 토끼 등에 탈래?"

해인이 옆에는 어느새 해인이 키보다 큰 토끼가 와 있었다. 해인이는 망설이지 않고 토끼 등에 올라탔다. 작은 날개가 있는 노란색 토끼는 나무 사이를 천천히 날면서 배고팠던 해인이가 보라색 열매를 따먹을 수 있게 해주었다.

"와, 사과같이 생겼는데 말랑말랑 젤리 같아. 맛있다!"

날아다니는 새들과는 눈을 맞추며 인사했다. 황금빛 딱정벌레를 만지기도 했다. 볼 풀장같이 속이 비어 있는 나무 밑동 안에서는 숨기놀이를 했다. 볼 풀 대신 꽃잎으로 가득 차 있어 그 속에 숨으면 좋은 향기로 가득했다. 초록빛 물결이 빛나는 개울가에서 물장구 칠 때는 물고기들이 살짝살짝 물을 뿌리며 지나갔다. 테오는 물고기들의 반갑다는 인사라고 했다.

"나도 반가워."

해인이는 물 위로 튀어 오르며 점점 멀어지는 물고기를 향해 손을 흔들었다.

"와, 진짜 행복해!"

풀밭에 누워 잠시 쉬던 해인이 눈에 문득 까마득하게 멀리 보이는 나무 끝이 보였다.

"테오! 그런데 저 높은 나무 꼭대기에 올라갈 수는 없어?"

그러자 테오가 갑자기 작은 소리로 웃기 시작했다.

"넌 아까 얘기했던 그 아이와 정말 똑같구나. 오랫동안 이곳에 온 인간 아이들은 많지만, 저 높은 나무 꼭대기까지 가보자고 한 겁 없는 아이는 딱 한 명이었거든."

아까는 그냥 흘려들었는데, 해인이는 그 아이가 궁금해지기 시작했다.

"그 아이 이름은 뭔데?"

"글쎄, 오래전이라 잘 생각나지 않지만, '테오'는 자기가 좋아하는 동생 이름이라고 했어. 자기 이름이랑 같은 글자를 쓴다고 했지."

"나랑 어떤 부분이 비슷했는데?"

"얼굴도 비슷하고 호기심이 많은 것도 닮았어. 겁 없는 것도 똑같고."

해인이는 속으로 생각했다.

'오래전에 왔던 남자아이인데 나랑 많이 닮았다고? 그럼 설마?'

해인이는 자기 생각이 맞는지 확인하고 싶었다.

"테오, 혹시 그 아이 손등에 흐리고 큰 점이 있지는 않았어?"

"손등의 크고 흐린 점이라. 음, 그리고 보니 나랑 악수 할 때 본 것 같아."

역시 해인이의 생각이 맞았다.

"네가 얘기한 그 아이는 아무래도 우리 아빠인 것 같아. 아빠 이름은 조창오. 손등에 흐리고 큰 점도 있고, 어렸을 때 나랑 똑같았다고 했거든."

테오에게 몇 가지 더 물어본 해인이는 그 아이가 아빠임을 확신했다. 아빠도 이곳을 왔을 때 꼭 해인이처럼 할아버지한테 혼난 날 왔었다고 했다. 위험하게 지붕 위에 올라갔다가 야단을 맞았었단다. 아무래도 아빠는 해인이보다 더 말을 안 듣고 말썽쟁이였던 것이 분명했다.

"아빠도 어렸을 때 말을 안 들었으면서, 나한테 왜 그러는지 모르겠어."

해인이가 아빠한테 혼난 얘기를 하자, 테오가 따뜻한 눈빛으로 해인이를 바라봤다.

"아빠나 너나 둘 다 좋은 아이야. 난 느낄 수 있단다. 물론, 너희 둘 같이 겁 없는 아이들은 급하게 행동하다 보니 종종 문제가 생기지."

해인이는 테오한테 '너희 둘'이라는 말로 함께 불리니까 아빠와 친구가 된 것 같은 묘한 마음이 들었다. 가만히 해인이를 쳐다보며 테오가 물었다.

"넌, 혹시 이곳에 있으면서 답답했니?"

해인이는 원래 느린 것이 싫고 무조건 빠른 것을 좋아했다. 그런데, 이곳에서는 그런 생각이 하나도 들지 않았었다.

"아니, 하나도 안 답답했어. 느리게 날아다니는 것도, 조금씩 걸으면서 너랑 말하는 것도 좋았어. 천천히 움직이는 동물들을 보는 것도 진짜 좋았고."

"맞아, 여기에선 상대의 이야기를 가만히 다 듣고 나서 움직인단다, 서두를 필요도 없지."

해인이는 테오의 말을 들으며 고개를 끄덕였다. 테오가 말했다.

"집에 돌아가면 다시 빨리 행동하고 바로 얘기하고 싶어질 거야. 그럴 때는 나를 생각하면서 속으로 다섯까지 천천히 세어 봐."

해인이는 이제 테오와 헤어질 시간이 다가온다는 것을 느꼈다. 테오가 마지막으로 자기에게 해 주고 싶은 말을 하는 것 같았기 때문이다.

"테오, 잊지 않을게. 네가 한 말 꼭 기억할 거야. 너의 따뜻한 눈이랑 따뜻한 냄새도 꼭 마음속 깊이 간직할게."

그러자 테오는 지금까지 중에서 제일 크게 웃었다. 정말 유쾌한 웃음이었다.

"네 덕에 나도 오랜만에 즐거웠어. 따뜻한 냄새가 난다는 말은 처음인데 기분 좋은 말이네."

그러더니, 테오는 갑자기 조금 쓸쓸한 얼굴로 말했다.

"네 아빠도 헤어질 때 잊지 않겠다고 했거든. 그런데, 네 얘기를 들으니 아빠는 나를 잊은 것 같네."

그 말을 들은 해인이는 왠지 미안했다. 해인이는 테오의 나뭇잎 손바닥에 자기 손바닥을 마주 대며 말했다.

"테오, 난 절대 잊지 않을래. 뭔가 막 빨리하고 싶으면 속으로 천천히 다섯까지 셀게. 널 늘 기억할 거야. 진짜 약속!"

테오는 고개를 끄덕였다. 그리고 아쉬워하는 해인이에게 마지막 당부를 했다.

"그리고 한 가지 지켜야 할 것이 있어. 이곳에 어떻게 왔는지, 뭘 하고 놀았는지 절대 아무한테도 얘기하면 안 돼. 정말 우연히 발견한 인간 아이들만 올 수 있는 곳이어야 하거든. 일부러 인간들이 찾아오면 이곳도 어떻게 변할지 몰라."

"걱정하지 마. 아무한테도 절대 얘기 안 해."

해인이가 갑자기 나간 뒤, 어른들이 바로 따라 나갔지만 해인이를 찾을 수 없었다.

"당신은 길을 잘 모르니까 집에서 기다려요. 어머니는 동네 쪽으로 가보시구요, 저는 뒷산 쪽으로 가 볼게요."

아빠는 뒷산 길을 빠르게 걸어 올라가며 계속 해인이를 불렀다.

"해인아, 해인아, 여기 있니?"

아무리 불러도 해인이의 대답 소리가 들리지 않자, 아빠는 조금씩 초조해지기 시작했다.

"해인아, 들리면 대답해 봐. 해인아."

헉헉거리며 쉬지 않고 산을 오르던 아빠는 저 멀리 느티나무가 보이자 걸음을 멈추었다. 순간, 아빠는 자신이 해인이 나이였을 때 자신의 아빠한테 심한 꾸중을 듣고 산에 왔다가 겪었던 일들이 선명하게 떠올랐다.

'혹시?'

아빠는 해인이를 더 크게 부르며 느티나무 앞까지 뛰어갔지만, 해인이는 보이지 않았다. 여기서 기다려야 할지 더 올라가야 할지 고민하며 느티나무를 어루만지던 그때였다. 갑자기 보이지 않던 작은 구멍이 나무에 생기더니 그 구멍에서 해인이가 쑥 튀어나왔다.

"어? 아빠!"

해인이는 나무 앞에 서 있는 아빠를 보고 깜짝 놀랐지만, 그만큼 반갑기도 했다. 테오와 함께 있으면서 아빠와 친구 같은 느낌을 받았기 때문이었다. 하지만 곧 해인이 머릿속이 복잡해지기 시작했다.

'아빠한테 뭐라고 설명하지? 테오가 절대 말하지 말라고 했는데.'

속으로 걱정하던 해인이는 또 한 번 놀랐다. 잔소리 폭탄을 던질 줄 알았던 아빠가 환하게 웃으며 두 팔을 활짝 벌리는 것이 아닌가? 옛날 아빠의 모습 그대로였다. 해인이는 왠지 모르게 눈물이 났다.

"아빠!"

좋은데 왜 눈물이 나는지 모르겠다고 생각하며 해인이는 아빠 품에 안겨서 훌쩍였다.

"다 울었어? 우리 해인이 노느라 힘들었을 텐데 아빠가 오랜만에 목말 태워줄까?"

해인이는 씩 웃으며 고개를 끄덕였다.

아빠 목말을 타고 산길을 내려오면서 해인이는 아빠한테 슬쩍 말했다.

"아빠, 난 테오라는 이름이 좋아."

"테오? 아! 그렇지? 아빠도 참 좋아하는 이름이었어."

아빠는 자신이 좋아했던 테오와 또 다른 테오를 떠올렸다.

"아빠 어렸을 때, 동생이라고 하면서 키우던 고양이 이름도 테오였 거든."

해인이는 테오와 약속하고 마음속으로 다짐했던 것을 아빠한테 얘 기했다.

"아빠, 나 이제 아빠가 뭐라고 얘기하면 잘 들을게. 다 듣고 속으로 천천히 생각한 다음에 대답할 거야."

해인이의 말을 듣고 아빠는 잠깐 걸음을 멈추었다. 아빠는 완전히 잊고 있던 테오와의 약속이 생각났다.

"해인아, 아빠가 사과할게. 화내기 전에 네 얘기를 충분히 듣고 생 각했어야 하는데 무조건 야단만 쳤어. 아빠도 너처럼 노력할게. 우리 앞으로 잘해보자."

해인이는 말하면 안 되는 비밀을 같이 알고 있는 사람이 아빠라는 사실이 너무 좋았다.

"해인아, 엄마가 얼마나 걱정했는지 알아? 할머니도 한 시간 동안 너 찾는다고 온 동네를 다 뒤지고 다니셨어."

"한 시간? 엄마, 한 시간밖에 안 지났어? 진짜?"

옆에 있던 아빠가 엄마 모르게 살짝 웃으면서 그렇다는 뜻으로 고 개를 끄덕였다.

'와, 정말 굉장하다. 테오랑 하루 종일 논 것 같은데 여기는 한 시간

밖에 안 지났다고?'

하지만, 할머니와 엄마에게는 자기가 사라진 한 시간이 얼마나 길었을지 해인이도 잘 알았다.

"할머니, 죄송해요. 엄마, 미안. 다시는 안 그럴게요."

가만히 옆에서 지켜보시던 할머니는 잘 돌아왔으니 괜찮다며, 얼른 맛있는 점심을 먹자고 은근히 해인이 편을 들어주셨다.

잠시 후 거실에 할머니와 해인이 둘만 남았을 때였다. 할머니가 해인이에게 귓속말을 하셨다.

"토끼를 타고 나무 사이를 나는 것은 정말 신나지?"

해인이는 깜짝 놀라서 할머니를 쳐다보았다. 그런 해인이를 바라보며 할머니는 검지를 조용히 입술에 댔다. 웃으며 찡긋하시는 할머니의 눈은 마치 테오의 눈처럼 따뜻했다.

함유정

지금까지는 나의 만족을 위해서 글을 쓰고자 했습니다. 동화가 다른 사람에게 얼마나 위로가 될 수 있는지 깨달은 지금은 내가 아닌 우리를 위한 글을 쓰고 싶습니다. 쓰기와 읽기를 절대 포기하지 않으려고 합니다.

싫어하는 사람의 이름을 말하면, 사라집니다

"야, 들었어? 응할머니 사라졌다며?"

"진짜? 어쩐지 조용하더라. 근데 갑자기?"

"몰라. 어쨌든 응할머니 없으니까 살겠다."

"그건 그래. 야! 1층 제일 늦게 도착하는 사람 편의점 쏘기!"

우당탕탕 뛰어가는 애들을 보고도 나는 그 자리에 가만히 서 있을 수밖에 없었다. 응할머니가 사라지다니. 그럼, 그게 정말이었다고? 나는 알 수 없는 불안감에 일주일 전쯤의 일이 떠올랐다.

그날은 이상하게 엘리베이터가 볼 때마다 10층에 멈춰 있었다. 아침에 학교를 갈 때에도, 오후에 학교를 갔다 와서도, 심지어 애들이랑 축구 약속이 있어서 다시 집을 나왔을 때도 마찬가지였다.

"또 10층?"

게다가 버튼을 눌러도 엘리베이터는 움직이지 않았다. 나는 조금 더 기다려 보다가 숫자에 변화가 없는 걸 확인하고 뒤돌아 계단으로 향했다. 우리집은 12층이었다. 내려가기 전에 아래쪽 난간 사이로 잠깐 귀를 기울여 봤지만 별다른 소리는 나지 않았다.

"좋아, 5분 안에 내려가기 도전!"

나는 한 번 크게 심호흡을 하고 아래로 질주했다. 요즘 우리 아파트 아이들 사이에서는 계단 달리기가 유행이었고, 나는 상위권이었다. 빠르게 발을 놀려 미끄러지듯이 한 칸 한 칸을 내딛다가 두 칸, 세 칸씩 뛰어내리기도 했다. 그때마다 쿵쿵 울리는 소리가 내 귀를 때렸다.

"채우성 선수, 좋습니다! 빨라요, 더 빨리!"

어제 봤던 축구 경기의 해설자를 흉내 내면서 열심히 뛰었다. 10층을 지나면서 얼핏 보니 엘리베이터 문 사이에 누군가 서 있는 것 같았다. 혹시 응할머니일까 봐 잠깐 겁이 났지만, 다행히 나를 부르는 소리는 들리지 않았다. 숨이 점점 차올랐다. 내 의지가 아닌 다른 무언가가 다리를 움직이고 있는 것 같았다. 1층까지 계단을 5칸 정도 남겨두었을 때, 나는 그동안 갈고닦은 점프 실력을 확인해 보기로 했다.

"오케이. 마지막 점프!"

힘차게 발을 박찼다. 쿵-보다는 쾅-에 가까운 엄청난 소리가 났다. 발바닥이 찌릿했다. 그래도 육상 선수의 준비 자세처럼 꽤 안정적으로 착지했다. 성공적인 착지에 기뻐한 것도 잠시, 나는 공동현관문으로 들어오시던 응할머니와 마주치고야 말았다.

"채우성! 이놈 자식! 응? 할머니가 그렇게 얘기했는데, 또! 응?"

어른들이 주로 1102호 할머니 또는 하율이 할머니라고 부르는 응할머니는 말끝마다 '응?'을 붙이시는 특유의 말버릇 때문에 생긴 별명이다. 아이들 사이의 또 다른 별명은 잔소리 할머니였다. 우리 아파트에 살면서 응할머니의 잔소리를 들어보지 못한 아이들은 아무도 없을 것이다. 그중에서도 내가 제일 잔소리를 많이 들었을 거라고 장담한다.

"안녕하세요… 오…."

"어릴 때는 얌전하더니, 응? 벌써 5학년 되는 어린이가, 응? 왜 이렇게 부산스러워? 응? 아주 우성이 너 쿵쿵거리는 소리 때문에 할머니 머리가 아파 죽겠어. 응?"

"네에…."

진짜로 아프신 건지 이마를 짚으시는 응할머니의 손에 약봉지가 들려 있었다. 몸이 안 좋으시냐고 여쭤볼 겨를도 없이 할머니의 잔소리는 계속 이어졌다.

할머니는 다른 애들이랑 같이 뛰어도 꼭 내 이름을 먼저 부른다. 그러면 다른 애들은 도망가고 나만 남아 한참 잔소리를 들었다. 할머니는 내가 반성하는 모습을 보이면 금방 누그러졌지만 잔소리가 어느 정도 마무리될 때까지 기다려야 한다.

그런데 그날은 축구 약속에 늦을까 봐 마음이 너무 급했다. 늘 예의 바른 척 말끝을 늘이던 것도 잊어버리고 할머니 말씀을 중간에 끊듯이 얘기해 버린 것이다.

"할머니, 저 지금 빨리 가야 돼요."

"뭐? 어른이 말씀하시는데, 응? 안 되겠다. 우성이 너 이리 와봐."

결국 나는 노발대발하시는 응할머니의 손에 이끌려 11층까지 가서 반성문을 써야 했다. 말이 반성문이지 응할머니가 불러주시는 대로 받아 쓴 각서에 가까웠다.

1102호를 나오면서 나는 약간의 반항심으로 인사도 건성으로 하고 현관문에도 일부러 손을 대지 않았다. 우리 아파트 현관문은 무거워서 끝까지 잡고 있지 않으면 쾅 소리를 내며 닫힌다. 문은 생각보다 더 세게 닫혔고, 그 바람에 응할머니가 다시 나오실까 봐 잠깐 긴장했으나 별 기척은 나지 않았다.

계단으로 바로 뛰어 내려가려다 각서 한 구절을 떠올렸다.

'다시 한번 계단에서 뛰는 모습을 보이면 반성문을 10장 쓰겠습니다.'

나는 힘없이 돌아서서 엘리베이터 버튼을 눌렀다. 엘리베이터는 금방 11층에 도착했다. 안으로 들어가자마자 닫힘 버튼을 여러 번 누른 후 습관처럼 거울을 보았다. 천천히 움직이던 엘리베이터 문이 완전히 닫히는 순간 거울 한쪽이 반짝하고 빛났다.

"뭐야?"

나는 바로 거울이 비추는 곳을 바라보았다. 처음에는 내가 잘못 본 줄 알았다.

기 「저러사 ㅁ 햄힘 을늘이 ㄴ팀 ㅅ 그하 잚

희미하게 찍힌 그 문구는 군데군데가 벗겨지고 반대로 쓰여 있어 읽기가 어려웠다. 나는 다시 몸을 돌려 거울에 비친 글자들을 보면서 더듬더듬 읽기 시작했다.

"싫…어하…는…사…람의…이름…을…말하, 말하면…사라…사라집니다?"

이게 뭔 소리인가 하고 있는데 태혁이한테 전화가 왔다.

"채우성, 왜 안 와! 너 때문에 시작 못 하고 있잖아!"

태혁이는 마구 화를 냈다. 그러고는 사정을 설명할 새도 없이 그냥 오지 말라고 끊어버렸다. 순식간에 기분이 곤두박질쳤다. 소리라도 질러야 답답한 마음이 풀릴 것 같았다.

여기서 큰 소리를 낼 수는 없으니 얼른 바깥으로 나가려고 층수를 확인했다. 그런데 아직도 11층이었다. 그때 내가 층수 버튼을 누르지 않은 것을 깨달았다.

"어휴, 버튼 누르는 것도 까먹고, 이게 다 응할머니 때문이야!"

거울 속 분노에 가득 찬 내 얼굴 옆으로 다시 문구가 보였다. 나는 다시 거울에 비친 글씨를 읽었다.

〈싫어하는 사람의 이름을 말하면, 사라집니다.〉

나는 내가 낼 수 있는 가장 큰 목소리로 외쳤다.

"응할머니!"

그리고 일주일이 지난 오늘, 웅할머니가 정말로 사라지셨다는 얘기를 들은 것이다. 나는 생각했다. '진짜 나 때문일까? 에이, 설마 우연이겠지.' 약봉지를 들고 있던 할머니가 생각나서 잠깐 걱정되긴 했지만, 별일은 아닐 거였다. 거기다 우리 아파트 애들이 만날 하는 말이 "웅할머니 어디 좀 안 가시나?"였다. 나도 그랬다. '잘됐다.'라는 생각을 끝으로 나는 신나게 발을 구르며 뛰어 내려갔다.

　잔소리를 듣지 않아도 되자 나와 애들은 그동안의 한을 풀기라도 하듯 아파트 안에서 뛰어놀았다. 아파트에서는 아침저녁 할 것 없이 발소리가 끊이지 않고 울렸다. 가끔 어른들이 지나가며 한두 마디씩 하시긴 했지만, 웅할머니처럼 끈질기게 잔소리하는 어른들은 없었다. 완전히 우리 세상이었다.

　이 주가 흘렀다. 웅할머니는 아직도 보이지 않았다. 나는 점점 계단을 뛰어다니는 게 재미없어졌다. 뛰어다니지 않으니 다른 아이들이 쿵쿵거리는 소리가 귀에 잘 들렸다. 집에서 숙제를 하려고 해도 쿵쿵거리는 소리 때문에 집중이 안 되기 일쑤였다. 웅할머니가 왜 그렇게 잔소리를 하셨는지 이해가 될 지경이었다.

　우리 집에서는 저녁을 먹고 나면 거실에 있는 책상에서 나는 숙제를 하고, 엄마는 책을 읽었다. 또 쿵쿵거리는 소리가 들려와 집중이 깨진 김에 엄마에게 물었다.

　"엄마, 11층 할머니 어디 가셨대요?"

　"우성이 네가 웬일로 11층 할머니를 찾아? 하긴, 어릴 땐 할머니

146

잘 따랐었는데."

엄마는 내가 궁금한 것에는 대답을 안 해주고 또 매번 하던 얘기를 했다. 할머니가 손자인 하율이처럼 나를 봐줬다는 이야기, 내가 엄마보다 할머니를 더 찾아서 서운했다는 이야기, 놀이터에서 하율이랑 놀다가 내가 다쳐서 할머니가 병원에 달려가셨다는 이야기, 그 흉터 보면서 할머니가 아직도 속상해하신다는 이야기 등등 늘 듣던 일화들이었다.

사실 아기 때 일들이어서 나는 잘 기억나지 않았다. 엄마는 응할머니가 다른 애들보다 나에게 더 많은 잔소리를 하시는 것도 다 너에 대한 애정이 있어서 그렇다며 감사히 여겨야 한다고 말했다.

"네네."

성의 없이 대답하며 내려놓은 연필을 들었는데 엄마가 조심스럽게 다시 말을 꺼냈다.

"우성아, 엄마가 할머니 앞에서는 작게 말하라고 했었지?"

"네."

이 또한 엄마가 항상 하던 말이었다. 귀가 예민하다는 응할머니는 작은 소리도 천둥처럼 들리니까 인사할 때도 너무 크게 말하지 말라고 했다. 나보다 2살 동생인 하율이가 초등학교에 입학한 후부터 할머니의 증상이 점점 더 심해지는 것 같다는 말도 여러 번 들었다.

"할머니 귀가 많이 심각한 상황이래. 그래서 수술한다고 하셨거든. 괜히 남들이 알고 신경 쓰는 거 싫다고 엄마한테만 몰래 이야기해 주셨어. 금방 오신다더니 생각보다 회복이 오래 걸리시나 봐."

엄마의 마지막 말이 마음에 걸렸다. 할머니의 회복이 오래 걸리는 이유가 혹시 나 때문은 아닐까? 내가 엘리베이터 문구를 보고 '응할머니'라고 외쳐서, 응할머니가 사라졌다는 말을 듣고도 '잘됐다'라고 생각해서 그런 거면 어떡하지?

"어머, 우성아! 왜 울어?"

"……."

"많이 걱정됐구나? 괜찮아, 할머니 금방 오실 거야."

차마 속마음은 털어놓지 못한 채, 나는 엄마 품에 안겨 한참을 울었다. 그날 밤, 나는 계속 마음에 걸리던 그 문구를 다시 확인하려고 했다. 그런데 얼마 전까지 희미하긴 해도 계속 보이던 문구는 내가 신경쓰지 않는 사이 이미 지워져 있었다. 나는 애가 탔다.

'문구까지 사라져 버렸어, 할머니가 영영 다시 돌아오지 않으면 어떡하지?'

걱정으로 가득 찬 밤이 지나가고 다음 날이 되었다. 여전히 계단 달리기에 참여하지 않는 나를 태혁이가 다른 애들과 함께 놀려댔다.

"야, 응우성 왔다."

"응우성! 너 오늘도 안 할 거야?"

계단 달리기에 참여하지 않을 뿐만 아니라 뛰지 말라고 잔소리하는 게 응할머니 같다며 애들이 붙인 별명이었다. 나는 귀찮다는 듯 손을 내저으며 말했다.

"안 해. 그리고 뛰지 마. 머리 울려."

"응우성, 왜 저래? 진짜 웃긴다."

애들이 뭐라고 하든 말든 나는 신경 쓰지 않았다. 할머니를 위해서 뭐라도 하고 싶었다. 계단에서 뛰지 않고, 시끄럽게 하지 않으면 할머니가 무사히 돌아오실 수 있을 것 같았다.

공동 현관에 몰려 있는 애들을 뒤로하고 엘리베이터 버튼을 눌렀다. 엘리베이터가 1층에 도착할 때까지 애들의 놀림은 계속되었다. 하지만 내가 아무 반응을 하지 않으니 재미가 없어졌는지 자기들끼리 바깥으로 나가버렸다.

멀어지는 발소리들 사이로 엘리베이터 문이 천천히 열렸다. 나는 안으로 들어서며 자연스럽게 문구가 있던 벽면을 훑어보았다. 사라진 문구는 여전히 보이지 않았다.

"할머니 괜찮으시겠지?"

눈을 돌려 거울 속 나에게 말했다. 괜찮으실 거라 믿고 싶었다.

"어?"

그러다 거울 한쪽에서 무언가를 발견했다. 문구를 비추던 자리에 '무단 광고 부착 금지!' 스티커가 붙어 있었다. 문득 어떤 생각이 떠올랐다. 가방 안에서 네임펜을 꺼낸 후 스티커 위로 글씨를 썼다. 그리고 내가 낼 수 있는 가장 큰 목소리로 외쳤다.

"할머니!"

그때, 엘리베이터 문이 다시 열렸다.

"누가 이렇게 소리를 질러? 응?"

응할머니였다. 나는 믿을 수가 없어 몇 번이고 눈을 비볐다.

"할머니? 진짜 할머니예요?"

"그럼, 응? 가짜 할머니도 있어?"

"……."

"싱겁기는…. 버튼도 안 누르고 뭐 하는 거야. 응?"

잔소리를 하시며 11층과 12층을 누르는 할머니의 손에는 그때랑 똑같이 약봉지가 들려 있었다. 그걸 보는 순간 나는 걷잡을 수 없이 울음이 터져 나왔다.

"할머니, 죄송해요. 저 때문에 할머니가…."

울음 때문에 또박또박 말할 수 없더라도 나는 할머니에게 죄송하다고 전하고 싶었다.

"이제 곧 있으면, 응? 6학년 되는 어린이가 뭐 이렇게 눈물이 많아. 응? 뚝 그쳐, 뚝!"

잔소리쟁이 할머니의 말투는 여전히 타박하는 듯 퉁명스러웠지만 내 등을 쓸어주는 손길은 누구보다 다정했다. 나는 그 손길이 참 익숙하다는 걸 느꼈다. 엄마가 닳도록 말했던 할머니와의 기억이었다.

"근데 이건 누가 이렇게 낙서를 했대? 응? 우성이 네가 한 거야?"

할머니가 가리킨 곳에는 아마 이렇게 쓰여있을 것이다.

〈좋아하는 사람의 이름을 말하면, 돌아옵니다.〉

톡! 톡!
비눗방울
마차여행

권대성

권대성

스스로를 어른으로 인정하기에 어딘가 부족한 저에게는 동화가 현실의 도
피처였습니다. 저같이 어딘가에 있을 어른이들을 위한 동화를 써보고 싶
다는 생각으로 시작했습니다. 어린이도 어른이도 같이 즐길 수 있는 동화
를 쓸 수 있으면 좋겠습니다.

톡! 톡! 비눗방울 마차여행

"아들아! 일어나라 제발! 벌써 몇 시인 줄 알아?"

서준이는 늘어지게 하품을 했다.

"하암. 좀 더 자도 돼요."

뭉그적거리는 서준이와 반대로 아빠는 구두를 신으며 바쁘게 말했다.

"아빠 출장 가니까 빨리 씻고 학교 가! 아빠 바쁘니까 네 할 일은 좀 알아서 해, 너 이제 여섯 살 애기 아니고 벌써 열세 살이야! 오늘 또 지각해서 선생님 전화 받게 하면 한 달간 컴퓨터 게임 금지야!"

서준이는 나가는 아빠의 뒤통수에 대고 짜증을 냈다.

"아 진짜. 뭐만 하면 컴퓨터로 협박이야!"

아빠는 숨을 헐떡이며 출장지로 가는 버스에 올라탔다. 숨 돌릴 새도 없이 노트북을 열어 보고서를 고치는데, 휴대폰 화면에 '서준이 담임 선생님'이라는 글자가 떴다.

"어휴, 그렇게 깨웠는데. 이 녀석이 또."

아빠는 불안한 마음으로 전화를 받았다.

"선생님, 안녕하세요."

아빠의 예상대로 서준이가 학교에 늦게 왔다는 전화였다. 덧붙여 선생님은 서준이가 수학 보충수업을 해야 한다는 이야기도 전했다.

"학습 부진 학생 보충수업 동의서요? 아, 예예. 챙겨서 보내겠습니다. 죄송합니다."

전화를 끊고 핸드폰 알림을 보니 빨리 보고서의 틀린 부분을 고치라는 문자가 와있었다. 출장지에 도착한 아빠는 딱딱한 공원 벤치에 구부정한 자세로 앉아 보고서를 고친 뒤, 노트북을 덮고 잠깐 숨을 돌렸다.

"에휴, 자식도 일도 마음대로 되는 게 없구만."

넓게 펼쳐진 푸른 잔디 위에서 아이들이 순수하게 비눗방울 놀이를 하고 있었다. 비눗방울은 춤을 추듯 가볍게 하늘로 떠올랐다. 아이들의 즐거운 웃음소리도 비눗방울처럼 멀리 날아갔다.

"저 때가 제일 좋을 때지."

그런데 하늘 위로 날아가던 비눗방울이 하나둘 아빠 앞으로 구름떼처럼 모여들기 시작했다. 비눗방울 무리는 아빠를 순식간에 감싸더니 재빠르게 하늘로 들어 올렸다.

"아니! 이게 뭐야?"

주위를 둘러보니 꼬불꼬불하고 노란 비눗방울, 집채만 한 비눗방울 등 각기 다른 모양과 색깔의 비눗방울이 한가득했다.

"이게 무슨 귀신 놀음이야. 여기요, 누구 없어요?"

그 순간 '톡!' 하는 소리와 함께 산호색 비눗방울을 타고 있는 작은 요정이 나타났다.

"어휴, 깜짝이야! 당신 누굽니까?"

"난 힘든 사람들에게 마법을 선물하는 비눗방울 요정이에요."

아빠는 의심스러운 눈으로 요정을 훑어보고는 물었다.

"여기는 도대체 어디예요? 날 왜 여기로 데려온 거죠?"

요정은 싱긋 미소 지으며 대답했다.

"아저씨, 비눗방울을 부는 즐거운 아이가 되고 싶다고 생각했죠? 내가 아저씨의 무거운 마음을 비눗방울처럼 가볍게 만들어 줄게요."

그러고는 아빠를 향해 비눗방울을 잔뜩 불었다. 이윽고 아빠의 몸이 줄어들기 시작했다.

"으악! 어떻게 된 거야?"

아빠는 초등학생이 되어 있었다.

요정이 하늘을 바라보며 비눗방울을 부니 비눗방울 마차가 나타났다. 요정은 아빠를 마차에 태웠다. 하늘로 날아오른 마차가 도착한 곳은 한 초등학교 앞이었다. 아빠가 깜짝 놀라 물었다.

"여긴 서준이가 다니는 초등학교잖아요. 도대체 여기엔 왜 온 거예요? 어서 원래대로 돌려놔요!"

요정은 하늘에 둥실둥실 떠 있는 채로 대답했다.

"오늘 하루 회사 걱정은 잠시 잊고 아이가 되어 실컷 놀면 돼요. 서준이 친구가 되어보는 것도 재밌겠죠?"

아빠는 요정의 말을 믿지 못하며 물었다.

"이거 꿈이죠? 꿈이라면 이상해할 것도 없긴 하지만⋯."

"그저 재미있는 요술이에요. 단, 서준이한테 아빠라는 걸 들키면 안 돼요."

아빠는 당황하며 물었다.

"만약 들키면 어떻게 되는데요?"

"요술은 꼬여버리고 아저씨는 비눗방울 속에 갇혀 돌아올 수 없게 돼요. 그래도 걱정하지 말아요, 위기 상황이 닥치면 비눗방울이 아저씨 눈앞에서 톡! 톡! 터질 테니까요."

"그럼, 원래대로 돌아오려면 어떻게 하면 돼요?"

"아저씨가 비눗방울처럼 가벼운 마음을 가지고 즐거워질 때 알게 될 거예요."

아빠는 비눗방울 요정이 점으로 사라질 때까지 멍하니 하늘을 쳐다보았다. 아빠는 자신의 볼을 꼬집어 보았다. 볼 한쪽이 얼얼했다. 호흡을 길게 뱉은 후, 아빠는 이내 마음을 단단히 먹고 서준이 반으로 갔다.

선생님은 복도에 서 있는 아빠를 발견하고 교실 밖으로 나와 물었다.

"오늘 전학 오기로 한 준식이니?"

"네? 아… 네. 안녕하세요, 선생님."

아이들은 호기심 가득한 눈으로 아빠가 무슨 말을 할지 기대하고 있었다.

"여러분 오늘 아침에 말했던 전학생이 왔어요. 이름은 한준식이에요."

아이들이 수군거렸다. 그 중 "서준이랑 진짜 비슷한데?" 하는 말이 아빠 귀에 유독 크게 들렸다.

"아… 흠… 흠… 그 한준식입니다. 학생 여러분 선생님 말씀 잘 듣고, 부모님 말씀 잘 듣고, 에… 공부 열심히 해야 합니다…. 친구들끼리 사이좋게 잘 지내요. 이 아저씨, 아니 내가 맛있는 거 사줄게요."

잠깐동안 교실이 조용해졌다. 한 친구가 "네, 아저씨!"라고 대답하자 교실이 순식간에 웃음바다가 되었다. 선생님은 아이들을 조용히 시키고 아빠에게 말했다.

"그리고 보니 준식이가 서준이랑 많이 닮았네. 그럼 서준이 옆자리에서 같이 공부해 볼까?"

서준이는 옆자리로 와서 앉은 아빠를 신기한 눈으로 바라보며 말했다.

"안녕? 난 한서준이야. 근데 진짜 신기하네. 우리 아빠 이름도 한준식인데 생긴 것도 완전 비슷해. 암튼 잘 지내보자!"

"어… 그… 그래."

아빠는 들킬 것 같아 조마조마하면서도 낯선 이 상황이 싫지 않았다.

"자, 그럼 인사도 다 나누었으니 이제 공부를 시작해 볼까요? 이번 시간은 영어 시간이에요. 여기 앞에 있는 화면을 보세요. 어? 이게 왜 안 되지?"

전자칠판의 화면은 멈춘 채로 움직이지 않았다. 아빠는 회사에서 있던 비슷한 상황이 떠올라 손을 들고 이야기했다.

"선생님, 제가 좀 도와드려도 되겠습니까?"

"응? 준식이 네가?"

아빠가 컴퓨터 화면에서 마우스로 이것저것을 누르니 멈춰 있던 화면이 제대로 움직였다. 아이들은 컴퓨터 기사 아저씨 같다고 박수를 쳤다. 멋쩍어하며 자리로 돌아온 아빠에게 서준이는 엄지를 올려 보이며 말했다.

"이야, 우리 아빠도 컴퓨터 잘하는데 너도 참 대단하다."

"그… 그래? 하하 그거참 신기한 우연이구만. 고맙다."

수업이 시작되니 서준이는 선생님 말씀을 조금 듣다가 공책 한구석에 낙서하기 시작했다. 그런 서준이의 모습을 보며 아빠는 한숨을 쉬었다.

" … 자 그럼 이 부분에 들어갈 톰의 대답은 무엇일까요?"

아빠는 서준이 집중하길 바라는 마음으로 선생님의 질문에 손을 번쩍 들고 대답했다.

"아임 스트롱거 댄 유입니다."

"준식이가 영어 공부를 열심히 했었나 보네. 발음도 정확해."

'회사에서 외국인과 대화도 하는데 이 정도쯤이야.'

아빠는 초등학생들 앞에서 그동안 갈고닦은 능력을 선보이고 속으로 뿌듯해하는 자기 모습이 웃겼다. 서준은 공책에 무언가를 끄적거리더니 귀퉁이를 아빠에게 밀어서 보였다.

"오! 영어 발음 원어민인 줄?"

그리고 다시 낙서에 집중하였다.

'어휴 한서준 이 녀석아! 낙서 그만하고 수업 시간에 아빠처럼 이렇게 적극적으로 하는 모습을 좀 보고 배워!'

그러나 조금 시간이 지나고 수업이 한참 진행되자 아빠는 깜박 졸고 말았다. 화들짝 깨서 옆을 보니 서준은 열심히 필기를 하고 있었다. 아빠는 살짝 민망해졌다. 서준은 잠에서 깬 아빠를 쳐다보며 장난스러운 웃음을 지었다. 서준이는 다시 공책 한 귀퉁이에 메모를 써서 아빠에게 밀어서 보여주었다.

"잘 잤냐? 전학 오자마자 너무 힘 빼는 거 같더라니 흐흐. 졸리면 오목이나 한판 할래? 지는 사람이 이따 청소 대신하기. 콜?"

서준이에게 사춘기가 오기 전에 함께 오목으로 종종 설거지 내기를 했던 추억이 떠올라 아빠는 웃음이 났다. 아빠는 작은 목소리로 대답했다.

"봐달라 하기 없기다?"

아빠와 서준이는 선생님 몰래 오목을 두기 시작했다. 둘은 공책에 바둑알을 번갈아 그리며 키득거렸다. 어느새 쉬는 시간을 알리는 종소리가 울렸다. 추억에 젖어 오목을 두다 보니 수업 시간이 지나는 줄도 몰랐다. 아빠는 양 손바닥을 마주 대며 서준에게 장난스럽게 말했다.

"좋은 승부였소이다!"

그 순간 아빠의 눈앞으로 비눗방울이 '톡!' 하고 한 번 터졌다. 서준이는 동그래진 눈으로 아빠를 쳐다보며 말했다.

"어? 지금 그거 집에서 아빠랑 내가 오목이 끝나면 꼭 하던 건데…."

아빠는 당황하며 대답했다.

"아… 우리 아버지도 오목 좋아하셔! 중국 무협 영화에서 승부 같은 걸 하고 나면 이렇게 손을 공손히 모으며 말한다나? 아빠가 하는 걸 따라 하다 보니 습관이 됐나 봐. 하하… 하…."

아빠의 이마에는 땀이 솟아나고 있었다. 서준이는 놀란 아빠를 이상한 듯 신기하게 쳐다보았다. 그 사이에 아이들이 우르르 나타났다. 아이들은 전학생인 아빠를 향해 갓 튀겨낸 팝콘 같은 질문을 우수수 쏟아냈다.

"너 말투는 왜 그래?"

"너 어디에서 왔어?"

"컴퓨터는 왜 그렇게 잘해?"

"서준이랑 너무 닮았다. 진짜 친척 아니야?"

아빠는 아이들을 진정시키며 말했다.

"어휴 정신없어. 꼬맹이들아, 한 명씩 천천히 좀 말해라."

새로 온 전학생의 사소한 말에도 친구들은 깔깔 웃어댔다. 뒤에서 듣고 있던 세민이가 한마디를 툭 던졌다.

"꼬맹이들? 너는 뭐 어른이라도 되냐?"

옆에 있던 친구가 세민이에게 말했다.

"왜 그래, 재밌는데. 세민이 너 똑똑한 전학생한테 1등 뺏길까 봐 벌써 시샘하냐?"

얼굴이 순식간에 붉게 달아오른 세민이가 외쳤다.

"그런 거 아니거든? 입 다물어! 이 호박아!"

아빠가 티격태격하는 아이들에게 한마디 하려는데 서준이가 먼저 둘 사이에 끼어들며 말했다.

"난 호박이 채소 중에 제일 좋던데. 아! 준식아 아까 반에서 제일 공부를 잘하는 친구가 누구냐고 물었지? 못 하는 게 없는 우리 반 엄친아 박세민. 인사해."

"그렇구나. 세민아 반갑다."

세민이는 아빠의 인사를 무시하고 자리로 돌아갔다.

잠시 뒤 선생님이 교탁을 탁탁 치며 말했다.

"자 모두 리코더를 꺼내보세요."

서준이는 리코더를 제법 잘 부는 편이었다. 조별로 합주를 연습하는 동안 서준이는 잘 못 부는 친구들에게 장난을 치면서도 리코더 부는 법을 자세하게 알려주었다. 옆 조에서는 세민이의 "아 짜증 나!" 하는 소리가 리코더 합주를 뚫고 날카롭게 들려왔다. 같은 조 친구들이 연주를 계속 틀렸기 때문이었다.

점심시간이 되자 세민이는 기다렸다는 듯이 아이들에게 외쳤다.

"야! 우리 새로운 전학생도 왔으니 팔씨름 경기하자."

세민이는 친구들의 관심이 온통 아빠를 향하는 게 불만이었다. 그렇기 때문에 평소 자신 있던 팔씨름으로 자존심을 세울 생각이었다. 반 친구들은 크게 두 모둠으로 나누어 경기를 하였고, 세민이는 계속 친구들을 이겨 우쭐댔다. 그때 세민이 귓가에 옆 모둠 친구들의 환호 소리가 날아와 꽂혔다.

"야! 준식이 진짜 천하장사다."

"어쩜 저렇게 빨리 넘기지 대단해!"

"나 아직도 손이 얼얼해. 우리 아빠랑 팔씨름하는 줄 알았어!"

세민이는 땀을 뻘뻘 흘리는 채로 옆 모둠을 쳐다보았다. 해맑게 웃는 아빠와 바람에 드러누운 풀처럼 나동그라진 친구들이 보였다. 심지어 아빠는 친구들을 안아서 들어올리기까지 하였다.

아이들은 아저씨같이 힘센 아빠의 모습에 감탄하고 즐거워했다. 세민이는 그런 아빠를 의식하면서 이를 악물고 팔씨름을 했다. 드디어 세민과 아빠의 마지막 경기가 시작됐다. 주변 친구들은 서로 누가 이길지 내기를 하다가 이윽고 둘의 주먹을 숨죽이며 바라보았다.

"준비, 시작!"

시작과 동시에 책상 위에 '쾅' 하고 손등이 내려쳐지는 소리가 났다. 책상 위에는 세민이의 손바닥을 누르고 있는 아빠의 손등이 보였다.

"와! 준식이가 1등이다!"

"팔씨름왕이 바뀌었네!"

아이들은 모두 아빠에게 감탄하며 즐거워하는데 세민이는 아니었다. 세민이의 주먹이 부들부들 떨렸다.

점심시간의 뜨거웠던 팔씨름 경기가 끝나고 미술 시간이 되었다. 선생님이 칠판에 '주제: 나의 가족'이라고 썼다. 아빠는 서준이가 여섯 살일 때 같이 섬에 놀러 갔던 기억이 떠올랐다. 서준이는 갯벌에서 처음으로 꽃게를 보고 겁 없이 잡았다가 집게발에 꼬집혔었다. 그날 잔뜩 겁을 먹은 서준이는 저녁으로 꽃게탕이 나오자, 아빠의 품에 안겨 엉엉 울어댔었다.

아빠는 피식 웃으며 서준이의 옆모습을 힐끗 쳐다보았다. 그렇게 겁 많고 작았던 아이가 언제 이만큼 큰 걸까. 아빠는 잘 자라준 서준이가 고맙고 대견했다. 아빠는 가벼운 마음으로 푸른 바다부터 그려 나가기 시작했다. 마음도 바다처럼 시원해지는 기분이 들었다.

서준이는 커다란 감나무와 할머니 그리고 한 소년을 그리고 있었다.

"서준아, 너 뭐 그려?"

"할머니한테 들은 아빠 어릴 적 이야기를 그리고 있어."

"할머니께서 무슨 이야기 얘기해 주셨는데?"

"우리 아빠 어릴 적에 엄청 개구쟁이였다고. 하루는 아빠가 감을 너무 좋아해서….'

아빠는 그림을 자세히 보았다. 울고 있는 소년을 보니 오래된 기억이 떠올랐다.

"아! 푸하하하하. 이거 감 딴다고 뒷마당에 있는 감나무에 올라갔다가 떨어져서 머리 꿰맸던 거, 그거 그리는 거야?"

서준이는 화들짝 놀라며 맞는다고 대답했다. 그리고 아빠를 계속 쳐다보다가 말을 이어 나갔다.

"뭐야, 너 혹시 우리 아빠 도플갱어 아니야?"

'톡! 톡!'

아빠의 눈앞에 비눗방울이 하나둘 생기더니 순식간에 불어나 와르르 터져나갔다.

서준이가 재차 물었다.

"너 뭐냐니깐? 네가 우리 아빠 얘기를 어떻게 아냐구?"

"어, 저 그게."

당황한 아빠는 서준이의 눈을 피해 복도로 고개를 돌렸다.

복도에는 색색의 비눗방울이 하나둘씩 날아가는 게 보였다.

비눗방울 사이로 장난꾸러기 요정이 빼꼼히 고개를 내밀더니 아빠에게 손짓하고 있었다.

아빠가 놀라 자리에서 벌떡 일어났다. 선생님이 아빠에게 물었다.

"준식아, 갑자기 왜 그러니?"

"아 하하 그게 저… 배… 배가 아파서요! 선생님, 잠시 화장실 좀 다녀오겠습니다. 아까 점심시간에 힘을 너무 많이 썼나 봐요."

반 친구들이 웃는 소리와 의아해하는 서준을 뒤로한 채로 아빠는 교실에서 빠르게 나왔다. 아빠는 요정을 따라서 무지갯빛이 나는 커다란 비눗방울을 향해 뛰어 들어갔다. 그러자 요정을 처음 만났던 비눗방울 세상이 나타났다. 요정은 아빠에게 물었다.

"오늘 하루 초등학생으로 살아보니 어땠어요?"

"당신 때문에 내가 오늘 얼마나 당황했는지 알아요? 그래도… 그래도 제법 즐거웠네요. 고마워요. 내 마음이 비눗방울처럼 둥실거리는 거 같네요."

요정이 싱긋 웃으며 비눗방울을 불었다. 예쁜 비눗방울 마차가 다시 나타나 아빠를 태우고 날았다. 돌아온 곳은 학교 화장실이었다. 아빠는 벽 거울을 쳐다보았다. 거울에는 어른 한준식이 정장을 입은 채로 멀쩡게 서 있었다.

하교를 알리는 종이 울렸다. 아빠는 옷매무새를 다듬고는 정문으로 나가 서준이를 기다렸다. 친구들과 인사하며 나오던 서준이는 교문 앞에 서 있는 아빠를 보았다. 놀라서 뛰어온 서준이가 숨을 헐떡이며 아빠에게 물었다.

"아빠가 왜 여기 있어요? 오늘 출장 가신 것 아니었어요? 혹시, 내가 또 지각해서 학교에 선생님 만나러 온 거예요?"

아빠는 말없이 서준이만 물끄러미 바라보았다. 서준이는 불안하고 걱정스러운 마음이 들었다. 아빠의 대답을 듣기도 전에 서준이는 땅을 쳐다보며 기어가는 목소리로 말했다.

"다른 애들도 가끔 지각하는데… 치… 알겠어요. 한 달간 컴퓨터 게임 안 하면 되죠?"

아빠는 대답 대신 시무룩해진 서준이의 뒤통수를 가만히 쓰다듬었다. 평소 같으면 짜증 섞인 목소리의 잔소리를 뱉어내야 하는 아빠인데, 서준이는 어안이 벙벙한 채로 아빠를 올려다보았다.

"오늘 학교에서 재밌는 일은 없었어?"

아빠의 입에서는 서준이의 예상과 다른 말이 나왔다.

서준이는 아빠의 질문에 잠시 생각하다가 웃으며 말했다.

"아! 오늘 우리 반에 전학생이 왔는데 아빠랑 이름도 똑같고 얼굴도 진짜 비슷하고 웃긴 애가 왔어요. 그러고 보니 준식이가 왜 안 나오지?"

"흠. 그래? 그거참 신기한 일이네?"

"네. 힘도 엄청나게 세서 오늘 팔씨름도 우승하고, 근데 아빠가 감나무에서 떨어졌던 걸 알고 있던데요? 진짜 생각할수록 신기하네."

아빠가 당황한 표정으로 헛기침을 했다.

"흠흠, 그래? 아빠도 그 아이가 참 궁금한데? 음… 서준아. 바르게 자라고 즐겁게 학교생활 해줘서 고맙다. 아빠가… 쫓기듯 살아서 그동안 서준이의 좋은 점을 많이 칭찬해 주지 못했던 거 같아서 미안하네?"

"뭐야, 왜 그러세요. 갑자기?"

서준이는 멋쩍어서 퉁명스럽게 대답했지만, 얼굴에는 들꽃 같은 미소가 번졌다. 그런 서준이 모습을 보니 아빠는 오늘의 마법 같던 하루가 감사했다.

"자 오늘은 아빠랑 맛있는 거 좀 먹을까? 아 참, 가는 길에 비눗방울도 하나 사가지고 가자."

"뭐야 유치하게 무슨 비눗방울은… 이따가 오랜만에 오목 한판 해요. 컴퓨터 게임 금지 해제를 내기로."

"어쭈? 그럼, 아빠가 이기면 네가 일주일 동안 설거지하기다?"

"아 일주일은 너무한데… 흠… 콜!"

아빠와 서준이는 똑 닮은 미소를 지으며 마주 봤다. 두 사람의 앞으로 알록달록한 비눗방울 두 개가 나란히 떠다니다 이내 하트모양을 만들며 가볍게 하늘 위로 떠올랐다.

왈왈 럭키와
삐리삐리 루키

정진아

by h·Y·J

정진아

우연히 들은 도서관 동화 수업을 통해서 잊고 있었던 어릴 적 꿈을 생각하게 되었고, 꿈을 이루기 위해 여기까지 왔습니다. 마흔이 넘어서 새로운 일에 대한 두려움은 있지만 순수한 마음으로 나의 글을 읽어주는 아들 재준과 조카들의 응원으로 아름다운 동화를 계속 쓰고 싶습니다.

왈왈 럭키와 삐리삐리 루키

"오! 럭키! 행운의 강아지! 공처럼 둥글고 풍성한 하얀 털도, 초롱초롱 빛나는 눈도 정말 귀여워. 우리 럭키."

준이는 학교에서 돌아오면 문을 열자마자 나를 찾아 꼭 안아주었다. 저녁때면 준이가 날 데리고 산책하러 나갔다. 산책에서 돌아오면 아저씨가 날 씻겨 주고, 정성스레 털도 빗겨 주었다. 밤엔 준이의 침대에서 잤다. 아침에 일어나면 아줌마가 내 배를 쓰다듬어 주고 맛있는 밥도 챙겨주었다.

가족들은 가끔 집에 좋은 일이 생기면 내가 행운을 가져왔다고 좋아했다.

어느 날이었다.

"와! 아파트 청약에 당첨되다니! 이게 다 우리 럭키 덕분이야."

아저씨가 좋아했다.

"맞아요. 게다가 남들이 다 부러워하는 좋은 동에 좋은 호수예요."

아줌마가 날 꼭 끌어안아 주었다.

나는 그렇게 준이네 가족의 사랑을 듬뿍 받으며 별 탈 없이 지냈다.

그런데 얼마 전 준이네가 당첨되었다는 새 아파트로 이사를 하면서 문제가 생기기 시작했다. 이사를 하고 나니 가구가 전부 새것으로 바뀌어져 있었다. 익숙한 냄새들이 없어지니 불안한 마음이 들었다. 이 방 저 방을 뛰어다니며 살폈다. 그러다 거실 바닥에 깔린 카펫에 소변을 누었다.

"럭키! 새로 산 카펫에 실수하면 어떻게 해! 빨기도 힘든데."

그 후 아줌마와 아저씨는 새집을 깨끗하게 써야 한다는 말을 강조했다. 나는 준이의 침대도 가족들이 앉아 있는 소파도 다 접근금지가 되었다.

'내가 행운을 가져다줬다고 좋아할 땐 언제고.'

"저도 침대 위로 올라가고 싶어요. 침대가 편하다고요. 왈왈."

내가 아무리 앞다리를 들고 발버둥 쳐도 식구들은 나를 올려주지 않았다.

"럭키, 안 돼. 털 날리는 것 봐. 침대랑 소파에 올라가는 건 절대 안 돼."

아줌마가 나를 밀어냈다.

'가족들 외출하고 혼자 침대에 누워 있으면 정말 편했는데, 접근금

지라니, 쳇!'

대신 아줌마가 거실 소파 옆에 나만의 작은 방석을 놓아주었다. 준이의 침대에 비하면 작지만 나는 그걸로 만족했다.

문제는 그것이 아니었다. 정말 내가 참기 힘든 건 얼마 전 갑자기 나타난 애 때문이다. 그 애 때문에 가족들의 사랑도 내 꿀맛 같은 낮잠도 다 날아가 버렸다.

"에에에엥~ 에에에엥~"

동그랗고 조그맣게 생긴 것이 아주 시끄러운 소리를 냈다. 게다가 가만히 서 있지 않고, 자꾸 나를 쫓아오며 요란을 떨었다.

"따라오지 마! 넌 너무 시끄러워. 왈왈, 왈왈왈."

내가 화를 내도 소리가 들리지 않는 것인지, 아니면 날 무시하는 것인지 반응이 없었다. 그저 요란한 소리를 내며 내가 움직이는 데로 자꾸 쫓아왔다.

'빨리 아줌마와 아저씨에게 이 사실을 알려야겠어. 너무 불편해.'

나는 거실로 달려가 아줌마와 아저씨에게 소리쳤다.

"저 애 너무 시끄러워요. 저를 자꾸 귀찮게 쫓아와요. 왈왈왈."

"럭키! 조용조용. 왜 이렇게 짖어?"

아줌마는 오히려 나에게 조용히 하라고 소리쳤다.

아저씨도 "럭키! 왜 청소기가 돌아가기만 하면 소리를 치는 거니? 좀 조용히 좀 해!"라며 나를 나무랐다. 그러더니 시끄러운 애를 향해 "정말이지. 저 녀석이 우리 집에 오고 나서는 정말 편해졌어. 진짜 고맙다니까."라고 말했다.

그러자 아줌마도 맞장구쳤다.

"맞아요. 우리처럼 강아지 있는 집은 꼭 필요해요. 계속 쫓아다니면서 털 없앨 필요도 없으니. 그런데 럭키는 왜 저렇게 짖을까요? 고마운 줄도 모르고. 럭키야. 넌 짖어댈 게 아니라 고마워해야지. 털이 얼마나 많이 날리는 줄 알아?"

"네? 고맙다니요! 저 애가 얼마나 시끄럽고 귀찮은지 아세요? 왈왈왈."

나는 화가 나서 더 짖었다.

"맞네. 럭키! 럭키! 너 이 녀석! 저 로봇 청소기한테 고맙다고 해."

아저씨까지 가세해서 나를 몰아세우니 너무 억울했다. 나는 철퍼덕 바닥에 엎드려 고개를 돌렸다.

"여보, 우리 앞으로도 계속 청소를 부탁할 건데 이름이라도 지어줄까?"

"순이 어때요? 준이 동생 순이."

"에이, 그건 너무 평범한 이름 같아. 음, 뭔가 새로운 이름이 없을까?"

아저씨가 휴대전화를 한참 쳐다보았다.

"음… 루키 어때? 내가 좋아하는 야구에서 신인 선수를 루키라고 하거든. 우리 집 청소를 위해 새로 등장한 신인 선수. 어때?"

"루키? 좋아요. 뜻도 좋고. 루키? 입에 딱 달라붙네요. 럭키랑 비슷해서 그런가?"

나는 방구석으로 들어와 다시 철퍼덕 바닥에 엎드렸다.

'풍성하고 하얀 털이 이쁘다고 할 때는 언제고. 털 날린다고 뭐라고 하고. 고작 저런 시끄러운 애한테 이름까지 지어주다니.'

난 기분이 좋지 않았다.

"휴."

한숨을 푹 쉬며 고개를 이리저리 돌려 엎드려도 서운한 마음이 진정되지 않았다. 잠시 후 문밖에서 아줌마가 나를 부르는 듯한 소리가 들렸다.

"럭키!"

드디어 다시 나를 찾는구나 싶어 뛰어나가 "왈왈, 왈왈." 꼬리를 흔들며 소리쳤다.

"저 왔어요. 럭키 왔어요. 왈왈, 왈왈."

"아니, 럭키야. 너 말고, 루키!"

아줌마가 나를 찾은 것이 아니었다.

"루키야. 우리 집 좀 깨끗하게 부탁해."

아줌마는 루키에게 다정스럽게 말했다. 나는 아줌마의 말에 기운이 쫙 빠졌다.

'하필이면 이름까지 비슷하게 지어서 나를 헷갈리게 하다니.'

그 후로 난 루키가 시끄러운 소리를 내며 움직일 때마다 짖었다.

"저리 가. 너무 시끄럽다고. 왈왈."

루키는 내 말에 대꾸도 하지 않았다. 내가 앞에서 짖으면 잠시 멈췄다가 내가 뒤로 물러서면 또 다가왔다.

"저리 가라고. 귀찮아. 왈왈."

너무 약이 올랐다. 나 따위는 별로 신경도 쓰지 않는 것 같아 더 화가 났다. 그래서 있는 힘껏 소리쳤다. 하지만 그럴 때마다 오히려 "럭키야, 조용히 해. 요즘 들어 왜 이렇게 더 시끄럽게 짖어 대니!"라며 아줌마한테 내가 더 혼나기만 했다.

혼자 독차지하던 가족들의 사랑을 빼앗긴 것 같아 화가 났다.

"두고 보자. 루키! 너와는 친해질 수 없어."

그러던 어느 날 작은방 구석에서 루키가 갑자기 '그럭 그럭.' 하는 이상한 소리를 냈다. 그러면서 한자리에서 빙글빙글 돌더니, 앞으로 나가질 못하고 있었다.

'그럭그럭. 걱걱, 걱걱.'

나는 루키 가까이 다가갔다.

"도와줘. 너무 아파. 삐리삐리."

루키가 날 보며 애원했다.

난 루키의 말에 놀라서 물었다.

"뭐야, 너 말을 할 줄 알아?"

"우선 다음에 설명할게. 나부터 도와줘. 삐리삐리."

루키가 아까보다 더 다급하게 말했다.

'나를 괴롭힐 땐 언제고 이제 와서 도와달래?'

나는 루키를 빤히 쳐다보았다. 내가 보기에 루키는 멀쩡해 보였다.

176

"쳇, 엄살떨지 마. 왈왈."

내가 막 돌아서려고 할 때였다.

"진짜, 나 좀 구해줘. 나 곧 죽을 거 같아. 삐리삐리."

루키가 사정사정 나에게 매달렸다.

'그럭그럭. 걱걱, 걱걱.'

루키는 아까보다 더 이상한 소리를 냈고 고통스러운 표정을 지었다. 말도 제대로 하지 못했다.

루키에 대해 내 마음이 다 풀린 것은 아니었지만 루키의 표정을 보니 빨리 아줌마에게 이 소식을 알려야겠다는 생각이 들었다.

"잠깐 기다려. 왈왈."

나는 주방으로 뛰어가 소리쳤다.

"급해요. 급해. 루키가 이상해요. 왈왈, 왈왈왈."

"럭키, 또 왜 짖는 거야. 조용조용."

"아, 답답해. 그게 아니고요. 루키가 이상하다고요. 왈왈, 왈왈왈."

나는 내 앞다리를 세워 아줌마를 긁으면서 다급히 얘기했다.

"럭키, 배고파? 좀 기다려. 지금 이것만 해놓고 간식 줄게."

"간식이 문제가 아니고요. 루키가 움직이지 못하고 있다고요. 왈왈, 왈왈, 왈왈왈."

나는 더 큰 소리로 짖으며 아줌마 옷을 입으로 물고 잡았다, 놓았다를 반복하며 루키가 있는 방 쪽으로 끌었다.

"이긍, 럭키. 또 루키 시끄럽다고 심술부리고 있구나."

아줌마가 루키가 있는 방으로 향했다. 아줌마는 한자리에서 이상한 소리를 내며 움직이지 못하고 있는 루키를 그제야 발견했다.

"어머, 루키. 왜 그러고 있어? 어디 보자!"

아줌마는 루키를 들고 이리저리 살펴보았다.

"어머? 이게 뭐야? 준이 운동화 줄이 왜 여기 들어갔어?"

아줌마는 루키 몸속으로 빨려 들어간 검은 줄을 가까스로 빼냈다. 잠시 후 루키가 다시 움직이기 시작했다.

"럭키야, 루키가 움직이지 않아서 얘기하러 온 거였구나. 오해해서 미안해."

아줌마는 나를 안아 쓰다듬어 주었다. 서운했던 마음이 스르르 풀리는 것 같았다.

아줌마는 다시 주방 쪽으로 가자 루키가 내 쪽으로 다가왔다.

"왜 나한테 오는 거야? 왈왈, 왈왈."

나는 다가오는 루키를 경계했다.

"나를 구해줘서 고마워. 아깐 정말 이대로 끝이다 싶었어. 삐리삐리."

루키가 말했다.

"그런데 너 왜 지금까지 내가 너한테 소리쳐도 대꾸하지 않은 거야? 왈왈."

"난 정해진 시간 내에 청소해야 해. 배터리가 닳으면 집으로 돌아갈 수가 없어. 난 빨리 청소하고 내 몸속에 들어온 먼지를 털어내고 싶거든. 먼지는 너무 간지러워. 삐리삐리."

루키의 이야기를 듣고 나니 이해할 수 있을 것 같았다. 루키 몸속으로 들어간 내 털 때문에 더 간지러웠던 건 아닌지 미안한 마음도 들었다.

"화내서 미안해. 왈왈."

"아냐. 내가 진작 얘기했으면 너도 화가 나지 않았을 텐데. 나도 미안. 삐리삐리."

그날 이후, 난 루키의 청소 시간을 기다렸다. 루키는 청소하는 동안 여전히 바쁘게 움직였다. 대신 내가 루키를 열심히 쫓아다녔다. 내 이야기를 잘 들어주는 루키와의 시간이 즐거웠다.

"전에 살던 집에서는 말이야. 내가 창밖을 내다보면 가끔 마주치는 사람들이 있었어. 쓰레기를 버리는 아저씨, 지나가는 아이, 가끔 나에게 말을 걸어주는 할머니도 계셨고. 그런데 이 집은 밖에 사람이 보이질 않네. 좀 아쉽다. 왈왈."

"아쉽겠다. 삐리삐리."

"요샌 준이도 하루 종일 친구들과 노느라 늦게 들어와. 아줌마랑 아저씨도 전처럼 집에 와도 날 안아주지 않더라. 좀 속상해. 왈왈."

"속상하겠다. 삐리삐리."

"그래도 오늘 아침에 일어났을 때 아줌마가 내 배를 싹싹 쓰다듬어줄 때 정말 좋더라. 왈왈."

"좋았겠다. 삐리삐리."

루키에게 내 마음을 털어놓고 나니 속상한 마음은 줄어들고, 기쁨은 배가 되었다.

그러던 어느 날, 가족들 모두 나가고 거실에서 낮잠을 자고 있을 때였다. 갑자기 루키가 소리를 내며 움직이기 시작했다.

'오잉? 가족들이 버튼을 누르지도 않았는데 쟤가 왜 저러지?'

나는 놀라서 바로 루키 쪽으로 달려갔다.

다행히 이상한 소리를 내진 않았다. 루키에게 물었다.

"루키야, 괜찮아? 오늘은 가족들 아무도 없는데 어떻게 움직여? 왈왈."

"아, 아줌마가 나를 휴대폰으로 작동시켰나 봐. 삐리삐리."

루키가 대답했다. 루키는 집 구석구석 움직이기 시작했고, 나는 루키를 따라다녔다.

"미안해. 청소할 때 마음이 급해. 날 쫓아다니려면 힘들지? 삐리삐리."

루키는 헉헉대며 쫓아다니는 나에게 미안해하며 말했다.

"내 위에 올라 타볼래? 삐리삐리."

루키는 내 쪽으로 다가왔다.

"내가 너 위에? 그렇게 빠른데 괜찮을까? 왈왈."

나는 살짝 겁이 나서 뒤로 물러섰다.

"괜찮아. 내가 안전하게 태워줄게. 내 위에 올라오면 말도 더 잘 들을 수도 있고 더 많은 대화를 나눌 수 있어. 삐리삐리."

루키의 말에 나는 한번 용기를 내어 보기로 했다.

"알았어. 한 번만 다시 내 앞으로 와 줄래? 왈왈."

나는 다리가 덜덜 떨렸지만, 한발씩 조심스럽게 루키 위에 올라섰다.

"어머나, 정말 위에 올라왔어! 좀 무섭긴 해도 재미있다. 왈왈."

루키 말대로 용기를 내서 올라서니 말도 더 잘 들리고 더 많은 대화를 나눌 수 있었다. 루키와의 시간이 점점 더 즐거워졌다.

난 내 이야기를 잘 들어주는 루키에게 자꾸자꾸 이야기하고 싶었다. 나는 매일 설레는 마음으로 루키에게 다가가 말했다.

"루키, 오늘도 내 이야기를 들어줄래?"

달콤 꾸덕
마법 약과

우렁

그림 규봉

우렁

책과 나무와 고양이와 그림을 사랑해요. 여러 고민이 있었는데 운 좋게도 책 속에서 답을 찾은 적이 많았어요. 또 단조롭던 영혼이 풍요로워지기도 했고요. 씨를 뿌리고 나무를 심고 잡초를 뽑아 내며 정원을 가꾸듯 책과 자연을 가까이하며 삶도 가꾸어 가려고 노력 중입니다.

달콤 꾸덕 마법 약과

보글보글! 기름 냄비 속으로 약과 반죽을 살포시 담그자 하얀 거품이 끓어올라요.

"꽃이 동동 떠 있는 것 같아요! 할머니!"

하나둘씩 부풀어 오르기 시작한 반죽이 노릇노릇 익어가며 기름 위로 떠 올라요.

"잘 익었네. 이제 건져볼까?"

할머니는 긴 나무젓가락으로 꽃을 하나씩 건져 올려요. 그리고 기름을 탈탈 털어낸 후 체에 담아 놓았지요.

"할머니 지금 먹어도 돼요?"

갓 튀겨낸 꽃 모양 과자에서 고소한 냄새가 솔솔 풍겼어요. 별이는 꽃 모양 과자들을 보며 침을 꼴깍 삼켰어요.

"아직 한 단계가 남았단다. 꽃과자에 꿀 조청을 묻혀야 하는데, 별이가 담가 볼까?"

계피와 생강 향이 도는 달콤한 즙청 속에서 촉촉하게 재운 후 꺼내어 말린 꾸덕꾸덕 쫀득쫀득한 약과. 그것은 별이에게도 할머니에게도 가슴을 꽉 채워주는 신비로운 맛으로 간식 그 이상의 것이었어요.

할머니는 어렸을 적 커다란 떡방아 집의 귀한 막내딸이셨대요. 지붕 높이까지 쌓여있던 쌀자루들이 며칠을 못가 바닥을 보일 정도로 사람들이 모여드는 소문난 집이었지요. 고소한 참기름 냄새는 십 리, 맛 좋다는 입소문은 천 리 밖까지 났다고 해요. 맛있는 것이 정말 많았어요. 그중에서도 노릇하고 큼지막한 약과가 제일 인기였어요.

그런데 어느 날 뒷산에서 불이 났어요. 불은 순식간에 마른 소나무를 타고 마을까지 번져 내려왔어요. 그러고는 고래 등 같던 그 큰 집을 다 태우고도 모자라 할머니가 가장 사랑하던 아버지까지 데려갔어요.

저녁이면 스물스물 내리덮는 땅거미처럼 음침한 슬픔이 할머니 가족을 삼켜버렸어요. 어린아이였던 할머니는 슬픔이 몰려올 때 달콤하던 약과를 떠올렸어요. 그러면 신기하게도 행복하던 기억 속으로 빠져들다 잠이 들곤 하셨대요.

할머니는 그 어릴 때의 신비한 기억을 떠올리며 특별한 일이 있거나 누군가 위로가 필요한 사람이 있을 때 약과를 만들곤 하셨대요.

오늘은 별이의 특별한 요청으로 약과를 만드는 중이에요. 옆 동에

186

사는 동이 이모를 위해 만들기로 했어요

"할머니 이 약과를 먹으면 이모가 좋아질까요?"

"별이가 이모를 걱정하는 예쁜 마음을 넣어 조물조물 반죽했으니 반드시 나아질 거야!"

이모는 똑똑하고 사랑스러운 갈색 푸들과 함께 살았어요. 강아지 이름이 동이였고요. 그래서 이모를 동이 이모라고 불러요. 그런데 동이가 삼 주전에 강아지별로 떠났어요.

이모의 집은 그날 이후로 시간이 멈춘 듯해요. 이모는 동이의 유골함 단지를 아직도 정리하지 못하고 온 집안에 동이 사진을 붙여놓고 하루에도 몇 번씩이나 눈물을 흘려요. 한 번만 더 안아보고 쓰다듬어 줄 수만 있다면 잘 보낼 수 있겠다는 말도 해요. 별이는 사랑하는 이모가 언제까지 슬퍼할지 걱정이 태산이에요. 그래서 별이는 할머니를 졸라 이모를 위해 오늘은 더 특별한 약과를 만들고 있어요.

"우리 별이랑 함께 만들어서 그런지 반짝반짝 윤기가 자르르 흐르고 예쁘게도 만들어졌구나!"

할머니는 꾸덕한 약과를 한입 크기로 잘라 별이의 입 속에 쏙 넣어주셨어요. 쫀득하고 달콤한 맛을 보니 더 빨리 이모에게 가져다주고 싶었어요. 별이가 빈 통에 약과를 정성껏 담자, 할머니는 그 위로 노란 비단을 묶어주셨어요.

별이는 후다닥 이모 집으로 달려갔어요.

별이는 이모 집에 갈 때면 길가 벤치에서 볕을 쬐고 있는 길냥이들에게 인사를 하곤 했어요. 그런데 오늘은 별이의 마음이 바빠서 눈길도 줄 수가 없었어요.

띵동!

"별이구나, 어서 와!"

이모가 여전히 기운 없는 모습으로 문을 열었어요.

"아직도 목소리가 모기만큼 작네. 이모!"

"이모가 우리 조카 걱정을 시켰구나. 괜찮아질 거야."

"엄마도 아빠도 모두 이모를 걱정하고 있어. 그리고 이건 내가 할머니랑 만든 약과야. 이모, 이거 먹고 기운 내!"

이모 뒤로 집안 여기저기에 붙어있는 귀여운 동이 사진들이 보였어요. 사진을 보니 별이도 코끝이 시큰해졌어요. 동이가 보고 싶어서 눈물이 날 것 같았지요.

"이모, 나 이제 갈게. 엄청 맛있으니까 꼭 먹어봐야 해."

별이는 눈물이 날 것 같아 서둘러 집을 나섰어요.

별이가 가고 이모는 별이가 주고 간 상자를 들고 소파에 앉았어요. 상자를 열어 반짝반짝 윤이 나는 꽃 모양 약과를 물끄러미 바라보다 하나를 집어 한 입 베어 물었어요. 달콤한 꿀 조청과 향긋한 계피 향이 입 안에 퍼졌어요. 기분 좋은 달콤함과 고소한 맛에 취해 이모는 스르르 잠이 들었어요. 그러고는 마법과도 같이 그토록 바라던 꿈을 꾸었답니다.

"동이야! 사랑하는 우리 동이 안 아프고 건강해 보이네!"

이모는 꿈속에서 동이를 만났어요. 저 멀리 은은하게 빛나는 무지개를 건너 동이가 한달음에 달려와 평소처럼 이모 품으로 뛰어올랐어

요.

나이 들고 아파서 초췌했던 모습은 온데간데없이 윤기 가득하고 복
슬복슬한 갈색 털이 더없이 건강해 보였어요. 눈도 초롱초롱 별처럼
반짝이고 기분이 좋아서 앞발을 들고 폴짝폴짝 뛰었어요. 건강하고
활기찬 동이의 모습을 보자 이모도 기운이 나고 힘이 솟았어요. 마치
이제는 괜찮다고 말하는 것만 같았어요.

"동이야, 이렇게 와줘서 엄마가 너무 고마워!"

이모는 동이를 가슴에 품고 두 팔로 꼭 안았어요. 사랑스러운 동이
의 온기와 털의 감촉을 영원히 기억하고 싶어서 동이를 꼬옥 안았어
요. 동이의 복실거리는 이마에 입을 대고 한참을 손으로 쓰다듬고 인
사를 했어요.

"우리 예쁜 동이 덕분에 엄마는 매일매일 행복했단다!"

동이는 초롱초롱한 눈으로 이모를 보고 얼굴을 핥아주며 이모의 품
에 안겨 한참을 있었어요. 그러는 동안 이모의 슬픔은 서서히 사라져
버리고 동이와 함께했던 예쁜 추억들만 몽글몽글 남게 되었어요.

"동이야, 먼 훗날 기쁘게 만날 때까지 엄마도 동이도 행복하자. 엄
마도 씩씩하게 지낼 거야. 사랑해 잘 가!"

동이는 깡충깡충 발랄하게 무지개를 건너가고 이모는 단잠에 빠졌
어요. 잠든 이모의 입가에 엷은 미소가 지어졌답니다.

한편 이모네 집에 다녀 온 별이는 할머니와 함께 남은 약과들을 녹

눅해지지 않도록 보관 통에 옮겨 담았어요. 반질반질 윤기 나는 약과를 보니 할머니도 어린 시절 어머니의 방앗간에 진열되어 있던 탐스러운 약과를 보는 듯한 착각이 들었어요. 할머니도 오랜만에 약과를 한 입 베어 물었어요.

그 순간 어디선가 산들바람이 불어왔어요. 그 바람을 타고 온 달콤한 향기가 코끝을 맴돌았어요.

"오늘도 이 약과가 좋은 꿈을 선물했나 보구나!"

할머니와 별이는 둘만이 아는 비밀을 떠올리며 서로 윙크했어요.

"할머니의 마법 약과를 저도 계속 만들 거예요."

며칠 후, 이모는 동이의 유골함에 담긴 잿가루를 동이가 가장 좋아하던 아파트 뒷산 하늘 공원에 뿌렸어요. 강아지별에서 건강하게 행복하게 뛰놀고 있을 거란 생각에 더 이상 슬프지도 않았어요. 이모는 다시 평소처럼 회사에 다니고 저녁이면 동이와 산책하던 그 길로 조깅했어요. 주말엔 천안에 있는 유기견 돌봄 센터에 가서 봉사했어요.

그렇게 이모의 하루하루가 다시금 생기를 되찾아 갔어요. 그리고 긴 여름 장마가 시작됐지요.

우르르 쾅쾅 !

유난히 천둥 번개가 많이 치고 비가 거세게 내리는 날이었어요. 별이는 아파트 공원 곳곳에서 만나던 고양이들이 어디에서 비를 피하고 있을지 걱정이 되었어요.

'에휴, 저 고양이들도 우리처럼 집이 있으면 차가운 비도 피하고 겨

울엔 추위도 피할 수 있을 텐데!'

별이는 먹구름이 가득한 하늘에서 장대처럼 쏟아지는 비를 보며 동네 고양이들 걱정을 하고 있었어요.

그러다 식탁 위에 놓인 반짝반짝 윤기 나는 약과를 집어 들고 혼잣말했어요. 뭔가 주문을 걸듯 말이에요.

"이번에는 꿈이 아니라 내 소원이 진짜로 이뤄졌으면 좋겠어!"

별이는 약과를 꼭꼭 씹으며 생각했어요. 뭔가 기분 좋은 일이 벌어질 것만 같았지요. 그때였어요.

띠 띠 띠 띠.

갑자기 현관문 비밀번호 누르는 소리가 들리더니 아빠가 들어왔어요.

"별아, 아빠 왔어."

"아빠! 이 늦은 시간에 어디 갔다 온 거야?"

별이의 눈이 놀라서 동그래졌어요. 집에 있는 줄로만 알았던 아빠가 현관문으로 들어온 것도 아빠 손에 들린 커다란 상자도 놀랄만한 일이었지요.

"야옹야옹."

"앗! 고양이 소리잖아."

아빠가 상자를 열자 아기 고양이가 보였어요. 아주 작고 마른 고양이였어요.

"아이 귀여워라!"

그때였어요. 엄마가 놀라서 다가와 쓴소리하기 시작했어요.

"아니, 상의도 없이 고양이를 데려오면 어떻게 해, 여보!"

그러자 아빠가 엄마에게 해명하기 시작했어요.

"미안해 여보! 회사 창고 마당에 어미가 버리고 갔는지 계속 울고 있었어. 비가 쏟아지기 시작해서 그냥 두면 혼자 못 살 것 같아서 어쩔 수 없이 데리고 왔어."

"아우, 그래도 난 동물은 못 키워!"

아빠는 급한 일을 마무리해야 한다며 다급하게 컴퓨터 방으로 들어 갔어요. 방에서도 엄마가 들리도록 큰 소리로 미안하다며 연신 사과하셨지요.

"이건 뭐지?"

별이는 아빠가 놓고 간 쇼핑백을 열어봤어요. 고양이 분유, 우유병, 장난감 등 고양이용품이 그 안에 있었어요. 별이는 그걸 보면서 아빠가 갑자기 내린 결정이 아니라는 생각이 들었지요.

"설마, 내 소원이 현실이 된 건가?"

별이는 마냥 신이 나서 엄마를 보고 큰 소리로 말했어요.

"엄마, 내가 다 돌볼게. 우리 집에서 키우게만 해줘!"

그러자 엄마가 별이 곁으로 다가오며 말했어요.

"별아, 동물을 키우는 건 쉬운 일이 아니야. 장난감이 아니라 하나의 생명인걸!"

그때 거실에서 벌어진 소란에 할머니도 방에서 나오셨어요

"아이구 가엾어라! 아기 고양이가 배가 많이 고픈가 보다."

할머니는 고양이를 보고 안쓰러워하셨어요.

"어머니, 별이 아빠가 고양이를 주워 왔어요. 이를 어쩌면 좋아요."

할머니는 별이와 눈빛으로 신호를 주고받았어요. 아파트 화단에서 노니는 고양이를 볼 때마다 고양이를 키우고 싶다고 노래하던 별이었거든요.

"애미야, 별이가 못하면 내가 돌볼 테니 같이 키워보는 게 어떻겠니? 다들 출근하고 학교 가면 나도 적적한데."

엄마는 연신 고개를 저으면서도 핸드폰으로 아기 고양이 우유 타는 법을 검색했어요.

"엄마, 이 영상 보면 되겠어요."

별이도 옆에서 같이 엄마를 도와 고양이에게 우유를 먹였지요.

"우리 별이 소원이 이루어졌네. 고양이 키우자고 노래를 부르더니."

할머니는 빙그레 웃으시며 거즈 손수건에 따뜻한 물을 묻혀 오셔서 아기 냥이 얼굴에 잔뜩 눌어붙은 까만 딱지를 떼어내고 씻겨 주셨어요.

"어머, 세수하고 나니 뽀얀 얼굴이 너무 예쁘네. 그래도 난 몰라 일단 일주일만 돌봐 줄 거야. 나아지면 다시 데려다 놓으라고 할 거야!"

엄마는 그렇게 말하면서도 고양이를 무릎에 앉혀 우유를 먹였어요.

"어디 그렇게 하나 보자!"

할머니가 엄마를 보고 웃으시며 말씀하셨어요.

"이름은 살구가 어때요? 털이 살구색이니까."

별이는 언젠가 고양이가 집에 오면 지어 줄 이름들을 적어놓았던 수

첩을 꺼내 그중에 살구라는 이름 위에 동그라미를 그렸어요.

일주일만 돌보겠다던 엄마는 다른 집에 입양을 보내더라도 건강해야 한다며 동물 병원에 데려가 종합 검진을 시켰어요. 약을 먹이고 우유병을 씻고 그 누구보다 더 열심히 살구를 돌보았어요.

"아구, 우유도 잘 먹네. 우리 살구!"

별이 엄마도 일주일 사이에 마음이 바뀌었어요. 아빠도 혀 짧은 소리로 살구를 짤구라고 부르며 귀여워하고 예뻐했어요.

"별이 손바닥만 한 아기 고양이가 날 보고 어찌나 간절하게 울어대는지, 그 모습이 자길 살려달라고 하는 것 같아서 안 데려올 수가 없었어!"

살구를 쓰다듬으며 아빠가 말했어요.

누구보다도 가장 신이 난 건 별이었어요.

길고 길던 여름 장마가 끝나고 뜨거운 태양 빛이 내리쬐는 8월이 되자 이 불볕더위에 살구가 혼자 살아갈 상상을 하니 별이는 그 생각만으로도 아찔했어요. 그렇게 살구는 별이네 가족이 되었어요. 약과를 먹던 날, 별이의 소원도 이루어진 거예요.

반려견을 떠나보낸 이모와 동네 고양이들을 걱정해주는 별이의 예쁜 마음 때문이었을까요? 아니면 할머니의 약과가 진짜 마법 약과였던 걸까요? 신기하게도 할머니의 약과를 먹던 날 이모는 동이를 꿈에서 만나 슬픔을 거두게 되었고 별이네 가족은 천사 같은 살구를 만나게 되었어요.

'달콤 꾸덕 마법 약과!'

할머니와 별이는 더 맛있게 더 푸짐하게 약과를 만들 거예요.

다음엔 누가 이 행운의 주인공이 될까요?

알록달록
손자국의
수호천사

임연아

임연아

글쓰기와 전혀 관련 없는 일을 하는 직장인입니다. 동화 쓰기 수업을 통해 여러 가르침과 도움을 받아 처음으로 이야기를 쓰게 되었습니다. 앞으로도 즐겁고 행복한 마음으로 동화를 쓰고 싶습니다.

알록달록 손자국의 수호천사

부슬부슬 비가 내리는 마을 골목길에서 첨벙첨벙 소리가 들려오고 있어요. 마을의 하나뿐인 아이 소공이가 물웅덩이 위로 폴짝폴짝 뛰어다니는 소리였어요.

"히히, 이번에는 배꼽까지 물을 튀겨봐야지."

우비를 입고 장화를 신은 소공이가 다음 물웅덩이 위로 점프하려는 순간, 물속에서 반짝반짝 작은 빛이 보였어요.

"어! 이건 구슬이잖아!"

작은 빛은 빗물 때문에 반짝이는 돌멩이였지만 소공이의 눈에는 보석처럼 예뻐 보였어요.

"꼬꼬 할머니가 보석 목걸이를 좋아하니까 선물해야지."

소공이는 장화 한 짝을 벗어서 반짝이는 돌멩이들을 주워 담았어

요.

"어라, 이건 뭐지?"

돌멩이를 줍다가 물웅덩이 옆 초록 풀 사이에서 버려진 건전지를 발견했어요.

"건전지잖아. 슈퍼 삼촌이 필요하다고 했었는데, 잘됐다."

건전지를 장화에 담고 보니 그 옆에 병뚜껑도 보이고 동전도 보였어요. 신이 난 소공이는 여기저기를 둘러보며 마을 사람들에게 나누어줄 것들을 주워 담았어요.

"보물이 가득가득이야."

무거워진 장화를 들고 껑충껑충 다음 물웅덩이 위로 뛰었어요.

"으악!"

보기보다 깊은 물웅덩이에 빠져 넘어지고 말았어요. 손에 들고 있던 장화도 놓쳐버렸어요.

"아야야… 내 보물 장화가 어디 있지?"

장화를 찾아보았지만 보이지 않았어요. 눈물이 그렁그렁 맺힌 소공이가 터덜터덜 걸어가다가 보리밭 할아버지의 수레 위에 올려진 장화를 발견했어요.

"내 장화잖아! 안에 보물들도 그대로야. 또! 또! 나한테 또 좋은 일이 생겼어. 분명히 수호천사가 도와주는 거라니까."

소공이는 아무도 없는 주위를 이리저리 보다가 집으로 뛰어갔어요.

"엄마! 아빠!"

문을 열고 뛰어 들어온 소공이를 보고 엄마와 아빠는 깜짝 놀랐어요.

"소공아, 신발을 한쪽만 벗고 들어오면 어떡해?"

소공이는 품에 안고 있던 장화 안을 보여주며 무슨 일이 있었는지 이야기했어요.

"수호천사가 분명해요. 어제도 내가 싫어하는 녹차 맛 아이스크림이 내가 좋아하는 딸기 맛으로 바뀌었고, 고장 나서 꺼져있던 가로등도 내가 지나가니까 켜졌잖아요. 누가 자꾸 나를 도와준다니까요. 선생님이 말해준 수호천사가 분명해요!"

유치원 선생님이 수호천사가 나오는 동화를 읽어준 뒤부터 소공이는 자신에게도 수호천사가 있다고 생각했어요. 지금까지 일어났던 많고 많은 운 좋은 일들이 누구의 덕분인지 드디어 알아낸 것 같았어요. 하지만 엄마와 아빠는 웃기만 할 뿐 믿어주지 않아 속상했어요.

"소공아, 그건 수호천사가 아니라···."

엄마가 무언가를 말하려는데, 장난스럽게 웃으며 아빠가 말했어요.

"잠깐, 수호천사의 정체를 찾아보는 건 어때? 우리 소공이가 수호천사를 찾아오면 엄마, 아빠도 수호천사를 믿을게."

수호천사의 정체를 찾는다고? 탐정처럼? 마음이 들뜨기 시작한 소공이는 고민했어요.

"수호천사는 눈에 안 보이는데 어떻게 찾지?"

엄마가 소공이의 우비를 벗겨주며 말했어요.

"수호천사의 정체는 내일부터 찾고 우리 아들은 목욕부터 할까? 온

몸에 흙탕물이 얼룩덜룩하네."

'얼룩덜룩? 그래, 물감을 묻히는 거야! 그러면 다들 수호천사를 볼 수 있겠지?' 소공이는 작전을 세웠어요.

다음날, 소공이는 서랍에서 30가지 색깔의 물감이 들어있는 커다란 상자를 꺼냈어요. 상자 속 작은 치약 모양의 물감 튜브를 가방 속에 전부 쏟아부었어요. 소공이는 물감이 가득 담긴 가방을 메고 수호천사를 찾아 나섰어요.

"안 좋은 일이 생기면 수호천사가 도와주러 나타나겠지? 어제 넘어졌던 물웅덩이에 가서 다시 넘어지자!"

탐정이 된 것 같아 두근거리며 길을 가는데 뒤에서 누가 부르는 소리가 들렸어요.

"저기, 꼬마야."

뒤돌아보니 소공이 보다 키가 큰 누나가 있었어요. 처음 보는 사람이었지만 소공이는 방긋방긋 웃으며 반갑게 인사했어요.

"안녕하세요! 저는 꼬마가 아니고 소공이에요."

"소공아 안녕. 나는 옆 마을에서 왔는데 길을 잃어버렸어. 마을 입구가 어느 쪽인지 알려줄래?"

"우리 마을 입구는 저기 가로등을 지나서 큰길로 가야 해요."

소공이가 손을 뻗어 길을 알려주었어요.

"너 정말 똑똑하고 귀엽구나. 우리 마을로 가서 나랑 같이 놀래?"

"같이 놀고 싶은데 할 일이 있어요. 다음에 놀아요. 안녕!"

소공이는 다시 길을 가기 시작했어요.

"우리 마을에는 어른들뿐인데, 저런 꼬맹이가 있으면 다들 좋아하겠지?"

옆 마을 누나는 멀어지는 소공이를 보면서 비식비식 웃으며 속삭였어요.

신나게 뛰어서 물웅덩이 앞에 도착한 소공이는 손바닥에 파란색 물감을 잔뜩 짜내고는 꼼지락꼼지락 문질렀어요. 활짝 핀 손바닥은 온통 파란색이었어요.

"어라, 물감 때문에 손이 미끄러워서 뚜껑을 잘 못 닫겠어."

얼른 수호천사를 찾고 싶어서 마음이 급한 소공이가 물감과 뚜껑을 대충 가방에 넣었어요.

"수호천사의 투명한 몸에 자국을 남겨야 하니까 손을 잘 펼치고 넘어져야 해."

조금 겁이 났지만 단단히 각오한 소공이가 물웅덩이 위로 뛰었는데, 넘어지지 않고 두 발로 우뚝 섰어요.

"어라? 어제랑 다르잖아."

실망한 소공이가 투덕투덕 발을 구르며 손을 이리저리 휘두르다가 툭! 누군가와 부딪혔어요.

"소공이, 또 물웅덩이에서 장난치다가 넘어지려고."

보리밭 할아버지였어요.

"할아버지! 그게 아니에요."

"아니긴, 녀석. 어제 물장구치다가 넘어지는 걸 내가 다 봤다. 물웅덩이에 흙을 채워뒀으니, 장난은 그만하거라."

보리밭 할아버지는 수호천사를 찾으려 했다는 소공이의 설명을 듣지 않고 걸어갔어요. 보리밭 할아버지의 바지에 파란색 손자국이 묻었지만 아무도 알아채지 못했어요.

"치, 할아버지 때문에 여기서는 수호천사를 못 찾겠네."

소공이는 물웅덩이를 지나서 꼬꼬 할머니네로 뛰어갔어요.

커다란 닭장이 있는 꼬꼬 할머니 집 근처에 도착한 소공이는 살짝 긴장했어요. 소공이가 닭장 앞을 지나갈 때면 닭들이 문을 열고 뛰쳐나와 따라다니며 쪼아댔기 때문이에요.

"조금 무섭지만, 그러니까 이번엔 분명히 수호천사가 도와줄 거야. 물감을 잘 묻혀야 하는데…."

손바닥을 보니 파란색 물감은 전부 지워졌어요.

"어라! 언제 다 지워졌지?"

가방을 열어 노란색 물감을 꺼내 바르고, 또 뚜껑을 닫지 않고 다시 가방에 넣었어요.

"여기 봐! 이야아아!"

용기를 내어 노란색 손바닥을 활짝 뻗고 닭장 앞으로 뛰쳐나갔어요. 큰 소리에 놀란 닭들이 시끄럽게 울다가 문으로 돌진했어요. 문이 덜컹덜컹 열릴 것처럼 움직였어요.

"엄마야!"

놀란 소공이가 뒷걸음질 치다가 툭! 누군가를 붙잡았어요.

"소공아, 닭들 놀리면 못써."

꼬꼬 할머니였어요.

"아니, 놀린 게 아니라요."

"닭장 문은 고쳐됐다. 닭이 보고 싶으면 조용히 가서 봐야 한다."

꼬꼬 할머니가 집으로 들어가며 말했어요. 꼬꼬 할머니의 옷소매에 노란색 손바닥 자국이 묻었지만 아무도 알아채지 못했어요.

"아이, 문을 고치면 안 되는데…. 여기서도 실패잖아."

실망한 소공이는 꼬꼬댁 꼬꼬댁 시끄러운 닭들에게 모이를 던져 주다가 노란색 물감이 지워진 손바닥을 봤어요.

"언제 또 지워진 거지? 다시 발라야겠어."

가방에서 분홍색 물감을 골라 손바닥에 듬뿍 바르고, 또 뚜껑을 닫지 않고 다시 넣었어요.

"물감이 마르기 전에 수호천사를 찾자!"

소공이는 다시 힘을 내 뛰어갔어요.

마을 여기저기를 뛰어다니던 소공이는 옥수수밭 앞에서 멈췄어요.

"그래! 옥수수밭에 들어갔다가 길을 잃어버린 적이 있었지! 그땐 엄마가 금방 찾으러 왔지만, 지금은 나 혼자야. 수호천사가 분명히 도와줄 거야."

커다랗게 자란 옥수수가 가득한 밭에 소공이가 쏙 들어갔어요. 앞으로 쭉쭉 걸어가던 소공이는 문득 걱정되었어요.

"여기가 어디쯤이지? 수호천사가 날 찾을 수 있을까?"

갑자기 누군가 소공이를 번쩍 들어 올렸어요.

"깜짝이야!"

"소공아, 너보다 키가 큰 밭에 들어오면 위험해."

옥수수밭 근처 슈퍼의 삼촌이었어요.

"내가 널 보지 못했으면 한참을 옥수수밭에서 나오지 못했을 거야."

슈퍼 삼촌에게 안겨 팔랑팔랑 흔들리던 소공이는 삼촌의 어깨를 꽉! 잡았어요.

"아휴, 수호천사가 도와줬을 텐데."

"수호천사?"

"네, 지금 수호천사를 찾고 있어요. 여기서 찾으려고 했는데 삼촌이 방해했어요."

"하하하, 그렇구나. 그럼 다시 찾으러 가야겠네."

슈퍼 삼촌이 성큼성큼 옥수수밭을 나와 소공이를 내려주고 다시 슈퍼로 돌아갔어요. 삼촌의 어깨에는 분홍색 손바닥 자국이 묻었지만 아무도 알아채지 못했어요. 삼촌에게 손을 흔들며 인사하던 소공이는 물감이 지워진 손바닥을 발견했어요.

"언제 또 지워진 거야. 이번엔 더 많이 발라야지."

가방에서 초록색 물감을 꺼내 손바닥에 치덕치덕 바르고, 또 뚜껑을 달지 않고 다시 넣었어요.

초록색 물감을 손에 바른 소공이는 냇가의 덜커덩덜커덩 흔들거리는 돌다리 앞에 도착했어요. 어제 비가 온 뒤로 넘실넘실 물이 불어난 냇가는 조금 무서웠지만, 수호천사를 꼭 찾고 싶은 소공이는 결심했어요.

"여기서는 꼭 찾을 수 있을 거야."

한걸음, 한걸음, 돌다리를 건너는데 이상하게 돌이 흔들리지 않았어요.

"분명히 흔들거렸는데, 여기가 아닌가? 이건 뭐지?"

다리 중간에 커다란 돌이 달그락달그락 소리를 내고 있었어요. 소공이가 커다란 돌을 툭! 건드렸어요. 회색 옷을 입고 돌처럼 웅크리고 있던 세탁소 이모가 쑥 고개를 내밀었어요.

"깜짝이야!"

"소공아, 혼자 냇가에 오면 위험해."

세탁소 이모가 돌다리 사이사이 작은 돌을 끼워 넣으며 흔들리지 않게 고정하고 있었어요.

"이모, 흔들리는 돌다리는 어디 있어요?"

"그런 다리는 이제 없지. 자, 이모랑 같이 가자."

세탁소 이모는 소공이의 손을 잡고 느릿느릿 같이 다리를 건너 주었어요.

"앗, 물감!"

소공이가 손바닥을 펼쳐 보니 초록색 물감은 지워져 있었어요. 이모의 손바닥에도 초록색 물감은 묻지 않았어요. 다시 돌다리를 건너

가는 이모의 등 뒤에 초록색 손바닥 자국이 있었지만 아무도 눈치채지 못했어요.

마을을 돌아다니며 주황색 물감, 하얀색 물감, 보라색 물감, 남아있는 물감을 전부 썼지만, 매번 마을 사람들만 만나고 수호천사를 찾지 못했어요. 실망한 소공이가 터벅터벅 집으로 돌아가려는데 누군가 부르는 소리가 들렸어요.

"소공아!"

옆 마을 누나였어요.

"누나, 왜 아직 우리 마을에 있어요?"

"혼자서는 길을 못 찾겠어. 네가 나를 도와줄래?"

"네, 도와줄게요! 따라오세요."

소공이는 옆 마을 누나를 마을 입구까지 안내했어요.

"여기서부터는 갈 수 있어요?"

"응, 여기서 곧장 가면 우리 마을이야. 우리 마을에 같이 가볼래? 우리 집에서 과자도 먹자."

"과자? 히히, 좋아요!"

소공이는 졸래졸래 옆 마을 누나를 따라갔어요. 소공이가 걸을 때마다 조그만 가방 안에서 뚜껑이 닫히지 않은 물감들이 새어 나왔어요. 물감에 흠뻑 젖은 가방에서 토도독 토도독 물감 방울이 떨어졌어요. 한걸음에 한 방울, 바닥에 여러 가지 꽃이 피어난 것처럼 예쁜 길이 생겼어요. 두 사람은 아무것도 모르고 걸어갔어요.

엄마와 아빠가 집에서 시계를 보며 소공이를 찾고 있어요.

"소공이 올 시간이 지났는데, 어디 있는 거지?"

"그러게. 나가서 찾아봐야겠어."

엄마와 아빠는 집 근처를 찾아보았지만, 소공이는 없었어요. 날은 갈수록 어두워지고 걱정은 더욱 커졌어요. 보리밭 할아버지, 꼬꼬 할머니, 슈퍼 삼촌, 세탁소 이모 그리고 마을 사람 모두가 여기저기 살펴보았지만, 소공이를 찾을 수 없었어요.

"모두 여기 좀 보세요!"

세탁소 이모가 마을 사람들을 불렀어요. 모두 마을 입구에 모여 마을 밖으로 길게 이어진 물감 자국을 보았어요. 파란색, 노란색, 분홍색, 초록색, 주황색, 하얀색, 보라색, 방울방울 쭉 이어진 물감이 길을 안내해 주는 것처럼 보였어요.

"소공이의 물감이 분명해요. 자국을 따라가요!"

엄마가 말하자 마을 사람들 모두가 물감 자국을 따라나섰어요.

여기저기 뚝뚝, 물감을 떨어트리며 걷고 있는 소공이는 가물가물 어두워지는 하늘을 보며 걱정이 되어 물었어요.

"누나, 여기로 가는 게 맞아요?"

"맞아! 조용히 하고 따라와."

옆 마을 누나는 짜증을 내며 소리쳤어요. 겁먹은 소공이는 꼼짝달싹 걸음을 멈추고 발을 동동 굴렀어요.

"집에 가고 싶은데…."

뚝뚝, 소공이의 눈에서 눈물이 떨어졌어요. 옆 마을 누나가 소공이의 팔을 잡고 끌어당겼어요.

"넌 이제 집에 못 가! 우리 마을로 가기로 했잖아!"

"으앙! 엄마, 아빠!"

소공이는 너무 무서워 파들파들 떨며 소리 내어 엉엉 울었어요. 그때였어요.

"소공아!"

슈퍼 삼촌의 목소리가 들렸어요.

"소공이, 우리 강아지!"

꼬꼬 할머니의 목소리도 들렸어요.

"소공아, 이 녀석아!"

보리밭 할아버지의 목소리도 들렸어요. 왔던 길을 뒤 돌아보니 마을 사람들이 와글와글 소공이를 부르며 달려오고 있었어요. 소공이는 마을 사람들 보고 깜짝 놀랐어요.

"손바닥 자국이잖아…."

파란색, 노란색, 분홍색, 초록색, 주황색, 하얀색, 보라색. 마을 사람들의 옷 여기저기에 소공이의 손바닥 자국이 묻어있었어요. 알록달록 마을 사람들이 뛰어오자 겁먹은 옆 마을 누나는 우왕좌왕하다가 소공이를 놓아주고는 허겁지겁 도망쳤어요.

"소공아, 괜찮니?"

어느새 헐레벌떡 달려온 엄마와 아빠가 소공이를 꽉 안아주었어요. 소공이는 무서웠던 일도 금방 잊고 초롱초롱 눈을 빛내며 두리번두리번 마을 사람들을 보았어요.

"찾았다!"

드디어 수호천사의 정체를 찾았어요. 여러 가지 색깔 손자국이 묻은 사람들을 보며 소공이가 싱글벙글 환하게 웃었어요.

"엄마, 아빠. 수호천사예요! 할머니, 할아버지, 이모, 삼촌, 전부! 수호천사예요!"

소공이는 신이 나서 소리쳤어요. 엄마와 아빠 그리고 마을 사람들 모두 소공이를 보고 따듯하게 웃어주었어요.

엄마와 아빠 그리고 마을 사람들과 집으로 돌아가면서, 소공이는 콩닥콩닥 가슴이 뛰었어요. 이렇게나 많은 수호천사와 함께라니! 소공이는 앞으로 더 신나게 놀아야지 생각하며 너무나도 행복했어요.

녹지
않는 눈송이

白, 달밤

白, 달밤

이름 붙일 수 없는 밤과 길을 잃은 새벽의 사이를 부유합니다.

녹지 않는 눈송이

뿌연 창문에서 동그란 눈 두 개가 바쁘게 움직입니다. 쉬익, 쉬이익- 춤을 추는 바람을 따라다니던 눈동자는 참지 못하고 창문을 열어버립니다. 그러자 바람이 방향을 바꾸어 꼬마 아이의 주위를 돌며 간질간질 장난을 칩니다.

찬 기운이 아이의 코끝에 닿자 앗츄-하고 재채기를 합니다. 아이의 입에서 나온 작은 온기에 바람이 방향을 바꾸어 날아갑니다. 그러자 어느새 따뜻해진 바람에 세상이 부르르 몸을 떨며 깨어납니다. 기분 좋은 떨림에 뽀얀 연둣빛 새싹과 푸릇한 잎사귀, 말간 꽃봉오리도 움트기 시작합니다. 그리고 긴 겨울잠을 자던 나비도 기지개를 켜며 조심스럽게 피어납니다. 팔랑이는 나비의 날갯짓을 보며 아이가 손뼉을 칩니다. 나비는 어깨를 으쓱거리며 더욱 신나서 이리저리 날아다닙니다.

아이는 언제든 나비를 보았고, 나비는 아이의 주위를 맴돌았습니다. 아이와 나비는 많은 시간을 함께했습니다. 숲속을 구석구석 탐험하며 재잘대고, 나른한 햇살 아래에서 꾸벅꾸벅 졸기도 했습니다. 아이가 장난감을 가지고 놀거나 책을 읽을 때면, 나비는 아이의 어깨에 앉아 잠시 쉬어가기도, 아이의 콧잔등을 간지럽히기도, 그림책 위를 날아다니며 책에는 없던 아름다운 장면을 만들어 내기도 했습니다. 또 어느 날은 나란히 앉아 책장 너머에 펼쳐진 푸른 바다를 한없이 바라보다가 그 위를 나는 꿈을 꾸기도 했습니다.

나비는 바다 위를 날았습니다. 눈부시게 푸르른 바다와, 바다 표면에서 반짝이며 부서지는 햇살과, 소금 냄새가 나는 바람 사이에서 누구보다 아름다운 날개를 활짝 펼치고 세상을 보았습니다. 하늘을 나는 갈매기도 바다를 헤엄치는 고래도 모두 아름답게 보였습니다.

잠시 쉬어갈 나뭇가지도, 바람을 막아줄 작은 잎사귀도, 살포시 내려앉아 아름다움을 뽐낼 꽃잎도, 밤이면 노래를 불러주던 풀벌레도 없었지만 나비는 그래도 괜찮았습니다.

바다는 아주아주 넓었습니다. 나비는 날고 또 날았습니다. 바다 가까이에 내려가 투명한 물속을 슬쩍 들여다보기도 하고 날개를 넓게 펼치고 나는 갈매기들의 뒤를 쫓아가기도 했습니다. 고래에게 다가가 인사를 건네기도, 파도에게 친구가 되자고 말을 걸기도 했습니다. 하지만 고래는 너무나도 컸기 때문에 나비를 보지 못했습니다. 파도의 노래에 가려 나비의 목소리는 전해지지 않았습니다. 물살을 가르는 배를 구경하다 사람들 앞에서 아름다운 날갯짓을 보여주었지만, 바다를 구경하거나 일을 하느라 바빠 나비에게 눈길을 주는 이는 없었습니다. 나비는 말을 걸어볼 이도 말을 걸어줄 이도 없는 이곳이, 누구에게도 보이지 않는 자신이, 조금 낯설게 느껴졌습니다.

나비는 잔잔한 바다로 다가가 물에 자기 모습을 비추어 보았습니다. 초라하고 일그러진 얼굴이 보기 싫어 고개를 돌렸습니다. 다시 날아올라 바다를 보았습니다. 바다는 아름다웠지만 나비가 필요하지는 않았습니다. 나비는 자기 말에 귀 기울여주던 친구들이, 자신의 날갯짓을 보고 손뼉 치며 기뻐하던 꼬마 아이가, 햇살 아래에서 평화롭게 잠들던 시간이 그리워졌습니다. 함께 그림을 바라보던 아이에게, 숲속나라의 친구들에게 바다 이야기를 들려주고 싶었습니다.

나비는 처음으로 날갯짓을 잠시 멈추고 뒤를 돌아보았습니다. 여전히 눈부시게 푸르른 바다와 하늘이 보였습니다. 바다는 아주아주 넓었습니다. 그리고 돌아가는 길을 잊어버렸다는 것을 깨달았습니다. 이리저리 고개를 돌려보아도 길은 보이지 않았고, 나비는 너무 작았습니다. 나비는 사람들의 배 한 귀퉁이에 잠시 내려앉아 돌아갈 방법을 생각하기로 했습니다. 그러는 동안 배는 모든 일을 마치고 항구에 도착했습니다.

배가 도착한 곳은 나비가 지금껏 보지 못한 또 다른 세상이었습니다. 사람들이 빽빽했고 사람보다도 큰, 바퀴가 달린 장난감들이 줄지어 서 있었습니다. 그리고 풀과 나무들 대신 높고 네모난 회색 건물들이 삐죽삐죽 솟아있었고, 풀벌레 소리 대신 수많은 소리가 섞인 어지러운 소음이 끊이지 않았습니다. 미로 같은 건물 사이를 지나는 사람들은 주위를 둘러보지도 않고 빠르게 걸어갔습니다. 나비에게 눈길을 주는 사람은 없었습니다. 나비는 외로웠습니다. 바쁘고 시끄러운 도시의 구석구석을 떠돌았습니다. 하지만 나비를 부르거나 나비의 손을 잡아줄 친구는 없었고, 편히 앉아 쉴 곳도 찾지 못했습니다.

뜨거운 열기가 지고 낙엽이 굴렀습니다. 그러나 나비는 여전히 혼자였습니다. 이야기를 나눌 친구가 없어 혼잣말을 중얼거리다 이내 그만두었습니다. 대답 없이 허공에 흩어져 버리는 목소리가 볼품없다고 생각했습니다. 나비가 서서히 지쳐가는 동안 바람이 차가워지기 시작했습니다.

아름다운 색을 뽐내며 피었던 꽃과 잎사귀는 흔적도 찾아볼 수 없었고, 색이 바랜 낙엽조차 모두 바스러져 가지들만 앙상하게 남았습니다. 시린 손을 부는 사람들의 입에서 하얀 입김이 새어 나왔습니다. 나비도 시린 날개를 녹이려 더욱 열심히 날갯짓했습니다. 처음 눈을 떴을 때 불어왔던 아이의 입김과 같은 따뜻함의 조각을 찾으려 불이 켜진 사람들의 집 주위를 맴돌았습니다. 어디선가 아이의 목소리가 들렸습니다. 목소리를 따라가 보았지만, 나비와 함께 숲속을 거닐던 아이가 아니었습니다. 그래도 그 따뜻한 소리가 좋아 창틀에 내려앉아 안을 들여다보았습니다. 엄마의 품에 안겨 동화책을 읽는 아이가 보였습니다. 엄마가 빨간 모자를 쓰고 흰 수염을 가진 할아버지의 흉내를 내자, 온갖 빨강과 초록, 누군가의 탄생을 축하하는 노래가 세상을 덮었습니다.

낮에는 햇살을 받아 반짝이던 바다가 밤이 내리자 창가에 매달린 전구들의 불빛으로 반짝였습니다. 바쁘게 지나가던 사람들도 걸음을 멈추었습니다. 사랑하는 사람의 손을 잡고 환하게 미소 지었습니다. 나비는 바닷가에 앉아 하루가 다 가도록 반짝이는 바다를, 행복하게 웃는 사람들을 지켜보았습니다. 날이 완전히 어두워지자 사람들이 모인 집의 불이 하나둘씩 켜졌습니다. 불빛과 함께 웃음소리가 피어올랐습니다. 나비는 창문 틈으로 새어 나오는 불빛과 웃음소리를 따라 날며 창문 너머의 사람들을 보았습니다. 그러나 여전히 나비를 바라보는 사람은 아무도 없었습니다.

나비는 지치고 슬퍼서 눈물이 날 것 같았습니다. 그러나 울어버리는 대신, 마지막 힘을 다해 하늘 위로 높이 날았습니다. 더 이상 올라갈 수 없을 만큼 높이높이 날아오르자 온 세상이 한눈에 보였습니다. 까르륵 웃는 아이들의 웃음소리가 금빛으로 부서지고 서로를 바라보는 눈빛이 별들만큼이나 총총히 빛나고 있었습니다.

세상이 모두 반짝였습니다. 반짝이지 않는 것은 자신뿐이라고 나비는 생각했습니다. 하늘 속에서 지상의 모든 별을 눈에 담은 나비는 자신이 날아오를 수 있는 가장 높은 곳에서, 날갯짓을 멈추었습니다. 저 별들 사이 어딘가에 내려앉기를 바라며, 아래로 아래로 나비가 내렸습니다.

팔랑이며 떨어지는 하얀 날개를 따라 눈송이가 하나둘 날리기 시작했습니다. 나비는 바람을 타고 드넓은 하늘에서, 일렁이는 바다에서, 따뜻한 노랫소리가 피어오르는 세상에서 마음껏 춤을 추었습니다. 바람은 집집마다 문을 두드리며 사람들에게 눈송이들의 축제를 알렸습니다. 아이도 어른도 밖으로 나와 기쁘게 눈송이들을 맞아주었습니다.

나비는 바람이 걸음을 조금 늦추었을 때, 골목의 가장 안쪽에서 유일하게 불이 켜지지 않은 집 하나를 발견했습니다. 반짝이는 전구도 하나 없이 쓸쓸하고 초라한 집이었습니다. 바람은 불이 켜지지 않은 집도 빼놓지 않고 문을 두드렸습니다. 딸랑-하고 낡은 종이 울렸고, 천천히 문이 열리며 머리가 희고 등이 조금 굽은 노인이 고개를 내밀었습니다. 한참을 그대로 있다가, 짙은 회색의 가디건을 단단히 여미고 어깨를 더욱 움츠리고는 느릿하게 걸어 나왔습니다. 노인은 바람을 타고 춤을 추는 눈송이들을 향해 손바닥을 펼쳤습니다. 그리고 또 한참을 있다가 허리를 젖히고 하늘을 올려다보았습니다. 눈앞에 펼쳤던 손을 하늘로 뻗었습니다. 노인의 손바닥에, 머리에, 어깨에 닿은 눈송이들이 투명하게 사라져갔습니다. 나비는 노인의 입가에 희미하게 떠오른 미소를 보았습니다. 어쩐지 그 미소에서 함께 꿈을 꾸던 아이의 웃는 얼굴을 떠올렸습니다. 노인은 지그시 눈을 감고 멀리서 들려오는 아이들의 소리를 들었습니다. 아이들의 목소리 위에 이제는 볼 수 없는, 사랑하는 사람의 소리를 그렸습니다. 나비도 눈송이와 함께 뛰어노는 아이들을 보며, 이제는 너무 멀리 떨어져 버린 아이의 작은 어깨를, 따뜻하던 목소리를 그려보았습니다. 노인의 눈가에 앉은 눈송이가 눈물이 되어 뺨을 타고 흘렀습니다. 노인이 하늘을 향해 손을 흔들며 자그마하게 인사를 건넸습니다. 나비는 노인이 꼭 자신을 보고 인사하는 것 같았습니다. 이제 눈물을 흘릴 수 없는 나비는, 노인의 눈물을 닦아주고 싶었습니다. 그때, 거짓말같이 바람이 멈추었습니다. 바람을 타고 춤을 추던 눈송이들도 잠시 멈추었습니다. 더 이상 움직일 수 없게 된 나비는 가만히 노인을 바라보다 노인의 어깨 위에 살며시 내려앉았습니다. 다시 등을 움츠리고 불이 꺼진 집을 향해 돌아서던 노인이 걸음을 멈추었습니다. 창문에 비친 어깨에 하얀 눈송이 하나가 남아있었습니다. 조심스럽게 떼어내는데, 누군가의 손길이라도 닿은 듯 어깨가 따뜻했습니다. 작고 연약한, 그러나 언제까지나 눈부신 날개를 손안에 두고 오래도록 바라보았습니다. 그러고는 작게 속삭였습니다.

"안녕,"

푸딩맛
세상

임초롱

임초롱

모든 게 의미 없고 중요하지 않다 생각되었던 순간에 동화 쓰기를 이어갈 수 있어 감사합니다. 어떤 순간에도 나의 탐구를 이어가고 싶습니다.

푸딩 맛 세상

할머니는 빈궁한 밥상을 보시곤 수저를 드는 둥 마는 둥 하시며 밥알 몇 개를 겨우 입에 넣으셨다.

"입맛이 없어 죽겠어."

"할머니, 입맛이 없다고 죽지 않아!"

예나는 그런 할머니가 영 불만인지 예민하게 말했다.

얼마 전 암 치료를 마친 할머니는 치료 이후로 계속 밥투정을 부렸다. 의사 선생님은 치료가 잘 끝났다며 잘 드시는 것이 제일 중요하다고 했다. 그런데 할머니는 날이 갈수록 입맛을 잃어갔다. 어려운 치료도 이제 다 끝났는데 이렇게 식사를 거부하시니 치료 전보다 더 약해진 것 같아 예나는 마음이 불안했다.

"할머니 먹기 싫어도 먹어야 돼. 맛있어서 먹는 게 아니라 먹어야 건강해지는 거야.”

“그려 알겠어. 이러다 너 학교 늦겠다.”

시계를 본 예나는 오늘도 할머니가 식사하는 걸 다 보지 못한 채 부랴부랴 학교 갈 채비를 했다.

“할머니 밥 꼭 다 먹어야 돼. 나 학교 다녀올게.”

“응, 어여 가.”

교실에 도착하자 반 친구들과 대화하는 지영의 목소리가 들렸다.

“오늘 피아노 테스트 있는데 학원 가기 너무 싫다.”

예나는 일부러 관심이 없는 듯 분주히 수업 준비를 하면서 지영이와 친구들의 이야기에 귀를 기울였다. 예나는 사실 학원에 다니는 친구들이 부러웠다. 수업이 끝나면 할머니를 챙겨야 하는 예나에게 학원 가기 싫다며 투정 부리는 친구들 모습은 부러울 뿐이었다. 예나는 피아노 학원 가기 싫다며 투정 부리는 자기 모습을 상상하니 괜히 쑥스러워 웃음도 나왔다. 친구들은 학교가 끝나면 곧장 피아노 학원으로 갔는데 예나가 그 안으로 들어가 본 적은 딱 한 번 있었다. 작게 나눠진 방에 피아노가 있었고, 지영이는 네모난 의자에 앉아 피아노를 쳤다. 그 후 가끔 자유롭게 피아노 연주하는 자기 모습을 그려 보곤 했다.

지영이네 엄마는 피아노 학원 선생님인데, 다른 친구들이 학원을 마치고 놀러 갈 때도 지영이는 계속 남아 피아노 연습을 하곤 했다. 서로 다른 이유로 친구들과 놀지 못하는 둘은 어느새 단짝 친구가 되어 있었다.

4시 30분, 하루 중 예나가 가장 기다리는 시간이다. 그 시간엔 학원에 남아있는 지영이에게 가서 함께 놀 수 있기 때문이다. 오늘도 예나는 지영이가 있는 학원으로 가서 함께 놀았다. 그러다 보면 할머니 때문에 얼른 가봐야 할 시간이 다가온다.

"예나야 조금 더 놀다 가면 안 돼?"

"미안, 나는 이제 가봐야 해. 대신 주말에 놀자."

잠깐 만나 이야기를 나누다 보면 어느새 헤어질 시간이었다. 지영이와 더 놀고 싶은 예나도 아쉬운 마음이 들었다.

내일은 드디어 예나가 기다리던 주말이었다.

"할머니 나 주말에 친구 만나고 와도 돼?"

"가긴 어딜 가니. 네가 가면 저녁밥은 어떻게 하고. 아직 할머니는 부엌에 나가긴 힘들어. 그러니 네가 해줘야 해. 내가 네 나이 때는 혼자서 밥하고, 설거지도 하고, 밖에 나가 일도 도왔어."

'또, 또, 저 소리!'

평일 오전에는 나라에서 결손가정을 위해 지원된 보호사가 온다. 할머니의 몸이 불편하고 다른 어른이 안 계신 사정을 딱하게 여긴 아주머니가 간단히 청소를 하고 필요한 몇 가지 반찬을 해주고 갔다. 예나는 아주머니가 만든 반찬으로 밥상도 차리고 설거지를 하며 집안일을 도왔기에 그런 할머니 말에 속이 상했다.

"나는 맨날 나가지도 못하잖아. 나도 친구 만나서 놀고 싶단 말이야."

오늘따라 할머니가 원망스러운 마음에 할머니에게 화를 내고 나와 지영의 학원으로 달려갔다. 피아노실 문이 벌컥 열리자 아직 연습 중인 지영이 놀란 눈으로 쳐다봤다.

"예나야, 무슨 일이야?"

예나는 지영이가 앉아있는 피아노 의자 옆에 앉았다.

"우리 할머니는 할머니 생각만 해."

"할머니랑 무슨 일 있었어?"

"나도 하고 싶은 게 많은데. 매일 할머니를 도와야 한대."

"그랬구나… 예나야, 너는 하고 싶은 게 뭐야?"

갑작스러운 지영의 질문에 말문이 막혔다. 할 수 없는 것만 생각하느라 정작 하고 싶은 게 무엇인지 잘 떠오르지 않았다. 그때 지영이가 조심스럽게 입을 열었다.

"얼마 전 엄마한테 피아노 치는 게 너무 지겨워 그만하겠다고 했더니 그러면 뭐가 하고 싶냐는 거야. 나도 엄마한테 되물었어. 엄마는 하고 싶은 게 뭐냐고. 엄마는 아직도 꿈을 좇고 있대."

예나는 계속 꿈을 좇는 지영이의 엄마 이야기가 궁금했다.

"그래서 어떻게 됐어?"

"엄마는 결혼하고 14년 만에 피아노를 마음껏 치는 거래. 어릴 적 엄마처럼 꿈을 키워가는 아이들을 보는 게 너무 행복해서 엄마가 가장 좋아하는 걸 내게도 알려주고 싶었대. 사실 나도 피아노 치는 게 좋아."

"지영이 너도 피아니스트가 될 거야?"

"모르겠어. 그런데 엄마가 진짜 행복해 보여서 왠지 나도 더 열심히 하고 싶어졌어. 내가 피아니스트가 될 수 있을까?"

"응! 너 피아노 치는 거 너무 멋있어. 항상 부러웠어."

"진짜? 나는 네가 피아노에는 관심이 없는 줄 알았어! 한번 쳐볼래? 내가 가르쳐 줄게."

지영이가 몸을 돌려 피아노를 마주하고 앉았다. 예나도 지영이 옆에 바른 자세로 앉았다.

'딩~'

건반을 살짝 누르자 손끝에서 소리가 울리는 것 같았다. 예나는 왠지 손가락이 간질거리는 것 같은 느낌에 손가락을 꼭 감싸 쥐었다. 그 순간 소리가 음악실을 타고 흐르는 것 같은 기분이 들었다. 즐겁게 피아노를 치는 동안 오늘 속상했던 마음을 잠시 잊을 수 있었다.

집에 와서도 지영이와 나눈 대화를 생각했다. 예나는 아직 좋아하는 게 무엇인지 잘 모르겠지만 오늘 피아노 치던 순간을 떠올리자 가슴이 두근거렸다.

'무언가를 좋아한다면 끈기 있게 해야 할 것 같아. 사실 난 좋아하는 걸 생각해 본 적이 없었어. 나도 내가 진짜 좋아하는 걸 찾고 싶어. 아, 또 피아노 치고 싶다!'

예나는 피아노 치던 순간을 떠올리며 허공에서 건반을 눌러봤지만 실제로 누를 때처럼 울림이 느껴지지 않아 조금 아쉬운 마음이 들었다.

'할머니가 좋아하는 건 뭘까? 할머니는 나에게 맛있는 음식을 해주시는 것을 좋아했는데….'

좋아하는 것에 대한 생각이 깊어 지자 생각이 꼬리를 문 것처럼 할머니도 함께 떠오르는 밤이었다.

"할머니, 아침 먹어."

토요일, 아침밥을 다 차릴 때까지 할머니가 일어나지 않으셨다.

"할머니, 일어나 봐!"

"아이고… 예나야….”

할머니는 힘없는 목소리로 예나를 부르며 몸을 잘 가누지 못했다. 주말이라 아주머니도 안 오시고 도움 청할 데가 떠오르지 않아 급한 마음에 지영에게 달려갔다. 지영이네 엄마의 도움을 받아 할머니를 모시고 병원 응급실로 가서 진찰을 받았다. 할머니는 영양실조였다. 치료가 끝나면 다시 할머니가 건강해지고 좋아질 거라 생각했던 예나는 이젠 예전의 삶으로 돌아갈 수 없을지도 모르겠다는 생각이 들었다.

'낙담만 하고 있을 순 없어. 내가 할 수 있는 걸 해야 돼.'

다음날 예나는 숙제와 빠진 준비물을 스스로 챙겨서 학교 갈 준비를 했다. 학교가 끝나고 병원에 도착하니 할머니가 깨어 계셨다.

'다행이다.'

할머니가 예나를 보고 살짝 손짓하셨다. 그게 가라는 것 같기도 오라는 것 같기도 했다. 그 모습을 보고 왠지 조금 안심이 된 예나도 할머니를 향해 엄지손가락을 꺼내 보였다.

할머니는 링거를 맞고 회복 후, 집에 돌아가면 입맛에 맞는 음식을 찾는 게 중요하다고 했다. 의사 선생님의 말씀을 들은 예나가 할머니 곁에 가 앉았다.

"할머니, 먹고 싶은 거 없어?"

"입맛도 없고, 먹고 싶은 게 없어….''

"암 환자들이 식사를 못 해서 영양실조에 잘 걸리기 때문에 입맛에 맞는 음식을 찾는 게 중요하대.''

"예전엔 참 잘 먹었는데. 이것저것 가리는 것 없이 잘 먹었지.''

"나는 할머니가 또 쓰러질까 봐 무섭고 걱정돼.''

"음식이 목에 잘 안 넘어가…. 예전처럼 맵고 짜고 달달한 것 좀 먹어 봤으면…''

음식을 드시지 못하니 할머니가 제일 힘들 텐데 할머니 마음도 못 알아드린 것 같아 예나는 죄송한 마음이 들었다.

"맵고 짠 건 아직 못 먹지만 내가 달달하고 부드러운 음식을 찾아 볼게!''

"예나야, 고맙다.''

할머니는 예나의 손을 잡으며 고마워했다. 예나도 할머니의 손을 꼭 잡았다. 예나의 손은 작지만 손가락이 아주 길어 주변 사람들에게 종종 피아노 치기 좋다는 말을 들었다. 지금 보니 예나의 손과 할머니의 손이 닮아 있었다.

"사람들이 나보고 손이 예쁘다고 했는데, 내가 할머니 손을 닮은 것 같아!"

"젊을 적엔 손도 길고 키도 커서 동네 사람들이 장군 같다 그랬지. 어디 보자, 예나 손이 나랑 닮았는지."

예나는 이제 거칠어진 할머니의 손을 잡고 오랜 이야기를 나눴다.

며칠 뒤 지영과 지영의 엄마가 예나의 집을 찾았다.

"예나야, 긴급하게 돌봄이 필요한 사람에게 지원되는 돌봄서비스가 있어서 알아보고 있어. 예나가 혼자 힘들 것 같아서 아줌마가 그때까지 주말에 조금씩 도울게."

지영의 엄마가 예나를 꼭 안아주었다. 아주머니의 품이 따뜻하고 포근했다. 돌아가기 전 지영이 예나에게 무언가를 건넸다.

"너도 피아노 치면 좋은데 할머니 돌보느라 시간이 없잖아. 그래서 이거."

"이게 뭐야?"

"내가 예전에 쓰던 멜로디카야."

"이거 나 주는 거야?"

"응. 난 이제 안 쓰는 거야. 네가 괜찮으면 선물하고 싶어. 건반 연습하기에 좋아. 나중에 또 같이 피아노 치자."

"고마워. 나도 열심히 연습할게!"

멜로디카는 입심을 이용해 소리를 내는 건반악기다. 멜로디카에 숨을 불어넣자 손가락을 타고 소리가 흘러나왔다. 예나에게도 자기 피아노가 생긴 것 같아 가슴이 두근거렸다. 처음 피아노 학원에서 느낀 것처럼 예나의 방에도 소리가 꽉 차 울리는 기분이 들었다. 예나는 집에 있는 시간에 할머니 옆에서 열심히 멜로디카를 연주했다.

그 이후 가끔 지영의 엄마가 예나의 집을 찾아왔다. 그런 날엔 지영이 있는 피아노 학원으로 가서 함께 피아노 연습을 했다.

그날 예나는 지영이와 실컷 피아노를 치고 시내도 쏘다녔다. 예나는 처음 외출한 기념으로 요즘 유행하는 마라탕을 먹었는데 상상만 하던 마라탕을 막상 먹어보니 할머니와 시켜 먹은 집 앞 주공반점의 짬뽕보다 맛이 없어 살짝 실망했다.

'할머니는 저녁을 잘 챙겨 드셨을까?'

저녁을 먹고 슬슬 걱정이 된 예나가 시계를 흘끔거렸다.

오늘 예나의 외출 목적은 따로 있었다. 바로, 새로 생긴 수제 푸딩 가게!

요즘 반 친구들 사이에서도 화제인 푸딩 가게 이야기를 듣자 달콤하고 부드러운 음식을 사드리겠다고 할머니와 한 약속이 떠올랐다. 보드랍고 촉촉한 푸딩이 할머니 입맛에 맞을 것 같아 푸딩을 사러 갔다.

푸딩 가게에 들어가자 진열대 위로 가득 찬 푸딩이 보였다. 투명한 유리병에 다양한 맛의 푸딩들을 보자 어떤 맛을 고를지 고민되었다.

"안녕하세요. 저희 할머니께서 입맛이 없으셔서… 부드러운 음식을 사드리고 싶은데 어른들은 어떤 맛을 좋아하나요?"

"어른들은 기본 맛인 커스터드 맛과 두부를 넣어 만든 푸딩이 고소한 맛이 나서 좋아하실 거야."

"한 개만 선택한다면 어떤 게 좋을까요?"

"할머니 사다 드리려고? 기특하네. 한 개는 아줌마가 선물로 줄게. 할머니와 나눠 먹어."

"감사합니다!"

할머니 입맛에 맞았으면 좋겠다며 포장해 주신 푸딩 두 개를 들고 기쁜 마음으로 집에 달려왔다.

"할머니~ 나왔어! 저녁 잘 먹었어?"

할머니는 티브이를 켜고 살짝 잠이 들어 있었다.

"응… 왔어? 그려. 밥 잘 챙겨 먹었어."

할머니 머리맡에 먹다 조금 남긴 멀건 죽이 남아 있었다. 또 이따 드신다며 남기신 모양이다. 그릇을 치운 예나는 할머니 앞에 카페에서 사 온 푸딩 두 개를 꺼내 보였다.

"할머니, 이거 먹어 봐. 이거 진짜 맛있는 거야~."

"이게 뭔데…?"

"음… 카스텔라 같은 건데 좀 더 촉촉하고 부드러운 거야."

예나는 푸딩 뚜껑을 열고 티스푼으로 떠서 할머니 입 앞으로 가져 갔다. 천천히 입을 열고 푸딩을 받아먹는 할머니의 모습이 꼭 아기 같 았다.

"할머니, 어때?"

"이건 좀 넘어가는데, 그래도 다는 못 먹겠다. 냉장고에 넣어 두면 이따 먹을게."

"할머니, 이거 다 먹어야 돼. 다 먹는 데 한 시간이 걸려도 천천히 쉬면서 끝까지 먹으면 돼."

할머니는 힘겹게 푸딩 한 컵을 다 비웠다. 비록 작은 푸딩 한 컵이었지만 아주 오랜만에 할머니가 다 드시는 모습을 본 것 같아 기뻤다.

"할머니, 봐 봐~ 다 먹었어."

"응, 보드랍다."

예나는 할머니에게 달콤하고 부드러운 음식들을 더 많이 맛 보여 드리고 싶었다.

"예나야, 오늘은 연습 안 하니?"

"멜로디카 연주?"

"그래, 요즘엔 그거 듣는 게 낙이야. 그… 그 노래 뭐더라."

할머니는 은율에 맞춰 몸을 흔드시며 노래를 흥얼거렸다.

"즐거운 나의 집!"

"그래, 우리 예나가 솜씨가 많이 늘었어. 매일 듣다 보니 이젠 하루라도 안 들으면 서운하다니까."

"할머니 내 연주 들으면서 이거 한 개 더 먹을 수 있어?"

"아이고, 두 개는 못 먹겠는데, 우리 예나 연주 들으면 또 다를 수 있지."

창밖으로 푸딩처럼 부드럽고 달콤한 음악 소리가 흘러나왔다.

치킨이 좋아

안시우

안시우

짧은 글이지만 아이들이 글을 읽으며 재미와 감동을 모두 느꼈으면 하는 바람입니다. 아이와 어른들 모두 재미있게 읽을 수 있는 동화를 쓰는 것을 목표로 더욱 노력하겠습니다. 읽어주신 모든 분들께 감사드립니다.

치킨이 좋아

"다온아! 정말? 집에 병아리 있어?"

"응."

"우와 신기해. 빨리 먹고 구경하러 가자!"

"응."

다온이는 감자튀김을 입에 넣고 오물거리며 고개를 끄덕였습니다. 다온이와 지우는 매일 하굣길에 패스트푸드점에 들러 조각 치킨을 사 먹었습니다. 하지만 벌써 몇 주째 치킨 대신 감자튀김을 먹을 수밖에 없었습니다. 입안에 감자튀김이 가득하면서도 다온이의 머릿속은 치킨으로 가득 찼습니다.

'이건 치킨이다. 바삭하고 쫄깃한 치킨이다.'

하지만 아무리 마음속으로 주문을 외워도 느껴지는 맛은 퍼석한 감자튀김이었습니다. 병아리가 보고 싶다는 지우의 재촉에 감자튀김을 반이나 남기고 일어섰습니다. '당분간 모든 치킨 메뉴는 판매를 중지합니다.'라는 글귀가 쓰인 출입문을 열고 둘은 다온이의 집으로 향했습니다.

"다녀왔습니다."

집에 들어서자, 삼촌이 반겨주었습니다.

"어, 다온이 왔냐! 친구도 왔네. 치킨이 보러 왔구나."

때마침 삼촌은 병아리에게 먹이를 주고 있었습니다. 지우는 달려가 병아리 앞에 바짝 붙어 앉았습니다. 노란 부리로 먹이를 콕콕 쪼아먹는 것이 신기했습니다. 하지만 지우가 상상했던 병아리와는 생김새가 조금 달랐습니다. 보송보송한 노란 털이 난 곳은 병아리 같았지만 군데군데 털이 빠지고 하얀 깃털이 솟아 참으로 볼품없었습니다.

"털이 왜 이래요?"

"치킨이가 이제 닭이 되려고 털이 빠지고 새 깃털이 나는 중이란다."

"치킨이? 얘 이름이야?"

지우의 물음에 다온이는 치킨이라는 이름이 부끄러워 조용히 고개만 끄덕였습니다.

"삐약!"

자신의 이름을 알아들은 듯 치킨이가 힘차게 울었습니다.

"이름이 왜 치킨이에요?"

"다 자라면 치킨으로 만들 거니까."

"말도 안 돼! 너무 불쌍해요."

"너희 좋아하는 치킨도 병아리를 닭으로 키워서 먹는 거야. 새삼스럽게 불쌍하긴."

그러자 옆에 서 있던 다온이가 입을 삐죽거리더니 잠시 후, "아니야!" 하고 소리를 지르고 자기 방으로 들어가 버렸습니다.

석 달 전, 전 세계의 닭에게 초록깃털병이 발생했습니다. 이름부터 무시무시한 이 병에 걸린 닭들은 살과 깃털이 모두 초록색으로 변해 버렸습니다. 그리고 초록색 닭을 먹은 사람은 일주일 내내 복통과 설사에 시달렸습니다. 초록깃털병은 세계적으로 빠르게 퍼졌습니다. 건강한 닭이 귀해지자 점점 치킨값이 오르고 이제 한 마리에 십만 원을 훌쩍 넘었습니다.

그런데 이 주 전, 삼촌이 양계장을 하는 친구에게 겨우 부탁하여 구해 왔다며 노란 병아리 한 마리를 집에 데려왔습니다. 그리고는 병아리를 '치킨'이라고 부르기 시작했습니다. 다온이는 병아리의 노란 털과 자그마한 몸집이 후라이드 치킨 조각처럼 보이기도 해서 삼촌이 장난을 치는 줄로만 알았습니다.

"치킨이는 치킨 아닌데…."

다온이는 오늘도 온종일 바삭한 치킨 생각이 간절했습니다. 하지만 치킨이를 먹고 싶다고 생각한 적은 맹세코 단 한 번도 없었습니다.

"삐약!"

아직도 속이 상해서 씩씩대는 다온이의 발등에 부드러운 온기가 느껴졌습니다. 다온이는 발치에 다가온 치킨이를 손에 올렸습니다. 보송한 등을 쓰다듬자 속상한 마음이 조금은 누그러졌습니다. 치킨이도 다온이의 따뜻한 손길에 고개를 꾸벅거리다 금세 잠이 들었습니다.

"다온아…. 괜찮아?"

지우가 열린 방문 틈으로 그 모습을 슬쩍 들여다보며 말했습니다.

"……. 갑자기 화내서 미안해."

다온이가 쭈뼛거리며 지우에게 사과했습니다.

"나는 절대 치킨이를 치킨으로 만들지 않을 거야."

"나도 치킨이가 불쌍하긴 하지만 삼촌이 그러시는데 원래 양계장에서 태어났다며? 그럼 당연히 치킨이 되는 거였잖아."

"그건 양계장에 살았을 때지. 지금은 집에서 키우잖아. 너는 식빵이 먹을 수 있어?"

식빵이는 지우가 키우는 갈색 줄무늬를 가진 하얀색 햄스터였습니다.

"야! 정다온!"

지우는 버럭 소리를 질렀습니다. 지우의 두 눈에는 눈물이 그렁그렁 맺혀있었습니다.

"삐약!"

그 소리에 놀란 치킨이가 깨서 푸드덕거렸습니다. 다온이는 치킨이를 품에 꼭 안아 진정시키며 말했습니다.

"치킨이도 같아."

지우는 닭고기는 먹지만 햄스터고기는 없으니 닭과 햄스터는 다르

242

다고 생각했습니다. 하지만 지금 다온이의 품에 안겨있는 치킨이의 모습은 식빵이와 똑같았습니다.

그날 밤 뉴스에서는 초록깃털병에 걸린 양계장의 닭들이 땅에 묻히는 장면이 나왔습니다.

"엄마, 살아있는 닭을 왜 땅에 묻어요?"

"건강한 닭한테 병을 옮길까 봐 묻는 거야."

"초록깃털병이 그렇게 무서운 병이에요? 걸리면 죽어요?"

"다온이는 혹시라도 치킨이가 병에 걸릴지 걱정이 되었습니다.

"초록깃털병은 닭들에게는 색이 변한다는 것 외에는 아무 증상도 나타나지 않는대."

"이해가 안 돼요. 그러면 저 닭들은 더 살 수 있는 거잖아요."

"병에 걸린 닭을 먹으면 배가 아픈 건 알고 있지? 점점 사람이 먹을 수 있는 닭이 줄어들어서 어쩔 수 없이 묻는 거란다."

"너무 잔인해요!"

"하지만 그래야 다온이도 좋아하는 치킨을 마음껏 먹을 수 있지. 지금도 치킨이 너무 비싸서 못 먹고 있잖아. 앞으로 영영 치킨을 못 먹게 돼도 괜찮아?"

"아니요…. 하지만!"

다온이의 눈가에는 눈물이 그렁그렁 맺혔습니다. 사람이 먹을 닭이 부족해질까 살아있는 닭들을 일부러 죽인다는 것이 너무하게 느껴졌습니다. 그렇지만 치킨을 앞으로 평생 못 먹는다는 것도 싫었습니다.

마치 시소에 탄 것처럼 다온이의 마음은 갈팡질팡했습니다.

치킨이가 집에 온 지 한 달쯤 되자 보송하던 노란 털은 사라지고 윤기 있고 매끄러운 흰 깃털이 완벽하게 자리 잡았습니다. 그리고 우렁차게 '꼬끼오' 하고 울기 시작했습니다. 요즘처럼 닭이 귀한 때에 닭 울음소리가 나자, 이웃 사람들은 신기하다며 치킨이를 구경하러 와 한마디씩 했습니다.

"이놈 작지만 튼실하네. 더 키워서 삼계탕 해 먹으면 딱 좋겠다."

"에이, 요즘에는 치킨이 최고죠."

그때마다 다온이는 씩씩거리며 화를 내었습니다. 어른들은 그런 다온이의 모습에 당황했다가도 귀여워서 더 짓궂게 장난을 쳤습니다.

"아저씨 가게 문 닫게 생겼는데, 다온이 없을 때 몰래 훔쳐 가서 치킨으로 만들어야겠다!"

동네 치킨집 아저씨가 일부러 다온이를 놀렸습니다. 자리에 모인 이웃들은 치킨집 아저씨의 사정을 걱정했습니다.

"요즘 너무 힘드시죠?"

"말도 마세요. 본사에서 오는 생닭 공급이 뚝 끊겨서 며칠째 손가락만 빨고 있습니다."

하지만 어른들의 대화가 오갈수록 더 치킨이가 걱정되었습니다. 사람들의 눈에는 치킨이가 맛있는 닭고기로만 보이는 것 같았습니다. 그날 이후 다온이는 학교가 끝나면 곧장 집으로 달려가 치킨이가 잘 있는지부터 확인했습니다.

학교를 마친 다온이는 오늘도 집에 오자마자 발코니로 향했습니다. 하지만 치킨이가 보이지 않았습니다.

'어디 갔지?'

집안을 구석구석 살폈지만, 치킨의 하얀 깃털 하나조차 보이지 않았습니다. 다온이는 떨리는 손으로 전화를 걸었습니다. 뚜루루루하고 신호가 가는 시간이 너무도 길게 느껴졌습니다. 하지만 일하느라 바쁜지 엄마와 삼촌 모두 전화를 받지 않았습니다. 다온이는 직접 치킨이를 찾기 위해 밖으로 나왔습니다. 제일 먼저 찾아간 곳은 동네 치킨집이었습니다. 치킨집 문을 열자 엄청나게 고소한 치킨 냄새가 풍겨 나왔습니다.

'어? 분명히 치킨을 못 만들고 있다고 하셨는데….'

"다온이가 웬일이니?"

"아저씨! 우리 치킨이 어떻게 했어요?"

"다짜고짜 무슨 소리냐? 치킨이를 왜 여기서 찾아?"

"아저씨가 훔쳐 갔죠? 돌려주세요!"

"무슨 뚱딴지같은 소리야, 이놈아."

아저씨는 영문을 모르겠다는 얼굴로 딱 잡아뗐습니다. 하지만 다온이는 직접 눈으로 확인하기 전까지는 아저씨를 믿을 수 없었습니다. 슬쩍 주방을 훔쳐보려 하자 아저씨는 큰 덩치로 다온이가 주방을 엿보지 못하도록 막아섰습니다. 아저씨의 행동에 다온이는 치킨이가 여기에 있는 것을 더욱 확신했습니다.

"아저씨가 훔쳐 갔죠? 우리 치킨이 내놔요!"

다온이는 작은 몸으로 아저씨의 옆구리의 빈틈을 공략했습니다.

"어어! 안돼!"

날쌔게 주방에 들어간 다온이는 눈이 휘둥그레졌습니다. 초록색 닭고기들이 튀김기에 들어갈 차례를 기다리고 있었습니다. 다온이는 태어나 처음 보는 초록색 치킨에 얼굴을 찌푸리며 말했습니다.

"아저씨, 이게 뭐예요?"

"아니, 그게, 병든 닭이라도 좋으니 치킨을 만들어달라고 하는 사람들이 있어서 아저씨도 어쩔 수 없이 파는 거야."

"그래도 먹으면 아프잖아요!"

"크게 탈 나는 것 아니니 먹겠다는 사람들도 많단다. 아프지 않다는 사람들도 있고. 너도 한 조각 먹어볼래?"

"아… 아니요."

다온이는 고개를 휙휙 돌리며 의심의 눈초리로 주방 살폈습니다.

"치킨이 진짜 없다니까, 녀석아."

어디서도 치킨이의 흔적을 찾지 못한 다온이는 풀이 죽어 치킨집을 나왔습니다.

"치킨아, 어디 갔어…."

다온이는 치킨이를 구경하러 왔던 이웃들을 모두 찾아가 보았습니다. 아파트단지와 근처의 공원, 경찰서까지 가보았습니다. 하지만 어디에도 치킨이가 보이지 않았습니다. 해가 지고 캄캄해진 뒤에야 다온이는 터덜터덜 집으로 돌아왔습니다.

'내일은 치킨이 사진을 넣은 전단지를 만들어서 찾아봐야지.'

치킨이를 찾을 방법을 생각하며 다온이는 현관문을 열었습니다.

"다온이 왔니?"

"엄마! 치킨이 못 봤어요?"

"저, 그게 치킨이가….."

엄마는 무슨 일인지 곤란한 표정을 지으며 말을 잇지 못했습니다.

"치킨이 어디 있어요?"

그때였습니다. 현관문이 열리더니 침이 꿀꺽 넘어갈 정도로 고소한 냄새와 함께 삼촌이 집에 돌아왔습니다. 익숙한 갈색 상자를 들어 올리며 삼촌이 말했습니다.

"치킨 왔다!"

다온이는 삼촌의 손에 들린 치킨 상자를 빼앗아 급히 열어보았습니다.

"녀석아, 안 뺏어 먹을 테니까 천천히 해."

치킨집에서 본 괴상한 초록색 치킨과는 다른 진짜 치킨이었습니다. 다온이는 먹음직스럽게 튀겨진 치킨을 보자마자 울음이 터져 나왔습니다. 다온이는 치킨 상자를 내팽개치고 집을 뛰쳐나왔습니다. 이전에는 다온이가 제일 좋아했던 고소한 치킨 냄새가, 지금은 세상에서 가장 맡기 싫은 냄새가 되어버렸습니다.

다온이는 아파트 벤치에 앉아 치킨이를 부르며 엉엉 울었습니다. 뒤따라 나온 엄마가 다온이를 달래며 말했습니다.

"다온아, 저 닭 치킨이 아니야."

"치킨이잖아요!"

다온이는 엄마의 말을 믿을 수가 없었습니다.

"치킨이는 아파서 병원에 있어."

"아파요? 어디가요? 그럼, 저 치킨은요?"

"치킨이가 없으면 다온이가 속상할까 봐 달래주려고 삼촌이 사 온 거야."

"병원에 가요. 엄마!"

눈물과 콧물로 범벅이 된 얼굴을 닦으며 다온이가 말했습니다.

"얼마나 아파요? 지금 가서 치킨이 볼래요. 병원에 가요, 엄마."

엄마와 함께 병원에 가는 길에도 다온이는 몇 번이나 치킨이가 잘 있는지 되물었습니다. 병원에 도착하자 상자 안에 들어있는 초록색 털 뭉치가 다온이의 눈에 띄었습니다.

"치킨이?"

"꼬끼오!"

꾸벅꾸벅 졸고 있던 녀석은 자신의 이름을 알아듣고 우렁차게 울었습니다. 너무나 달라진 모습에 다온이는 선뜻 다가가지 못했습니다. 치킨이는 상자에서 나와 다온이의 발치에서 주위를 맴돌았습니다. 색은 변해버렸지만, 초롱초롱한 눈망울과 매끄러운 깃털은 그대로였습니다.

"치킨아!"

다온이는 치킨이를 와락 껴안았습니다.

"선생님. 우리 다온이가 너무 걱정해서 왔어요. 치킨이가 사라진 줄 알고 온 동네를 헤매고 다녔나 봐요."

"잘 오셨어요. 살처분 동의서에 서명이 빠진 곳이 있어서 연락드리려던 참이었습니다."

"엄마, 살처분이 뭐예요?"

"뉴스에서 본 것처럼 땅에 묻는 거야."

"안 돼요!"

"선생님도 마음이 아프지만 어쩔 수가 없단다."

"방법이 있을지도 몰라요. 제가 읽어볼래요."

"어려운 말이 많아서 어린이가 봐서는 모를 텐데…."

마음이 급한 다온이는 선생님의 말씀이 끝나기도 전에 동의서를 받아 꼼꼼히 읽었습니다. 선생님 말씀대로 어려운 말들을 전부 이해할 수는 없었지만, 눈에 띄는 글씨가 있었습니다.

– 예외 1. 다른 개체에 피해를 줄 영향이 없는 환경의 반려동물로서 1가구 1개체는 사육이 허가된다. (단, 수의사의 동의가 필요함.)

"선생님! 여기! 한 마리는 키워도 된다는 뜻이죠? 치킨이는 반려동물이에요. 집에 다른 닭도 없어요."

하루 종일 치킨이를 찾느라 다온이의 팔은 상처투성이였고 눈물자국으로 얼굴은 엉망이었습니다. 선생님은 그런 다온이의 간절한 눈빛을 차마 외면할 수가 없었습니다. 선생님은 곤란한 표정으로 한참을 고민하다가 말했습니다.

"대신 일주일에 한 번은 꼭 검진받으러 와야 한다."

"네! 선생님!"

다온이는 초록색 치킨이를 품에 안고 당당하게 병원을 나왔습니다. 엄마는 흐뭇하게 치킨이와 다온이를 바라보며 말했습니다.

"우리 아들 이제 다 컸네. 이제 집에 가서 맛있는 치킨 먹을까?"

"엄마, 치킨이도 양계장에서 계속 살았으면 정말 치킨이 되어버렸겠죠?"

"아마도 그렇겠지."

"치킨…. 못 먹을 것 같아요. 평생 갇혀 살다가 인간에게 잡아먹힌다니 너무 불쌍해요."

"다온이가 느낀 게 많구나. 그런데 고기와 채소 모두 골고루 먹어야 건강할 수 있어. 귀여운 토끼를 잡아먹는 사자는 나쁜 동물일까?"

"아니요."

"사람도 마찬가지야."

"그래도 닭이랑 토끼가 먹이가 아닌 동물로 행복했으면 좋겠어요."

"실제로 다온이처럼 생각하는 어른들이 가축들을 더 좋은 환경에서 기르도록 노력하고 있어."

"그럼, 앞으로 거기서 파는 것만 먹을래요. 그리고 정말 감사한 마음으로 먹을 거예요."

다온이는 치킨이를 꼭 끌어안았습니다. 저녁이라 바람이 쌀쌀했지만, 치킨이의 온기가 있어 다온이는 하나도 춥지 않았습니다.

방랑
치타 이오

조미소

조미소

일기도 쓰지 않는 내가 동화를 쓰다니. 그저 놀라울 뿐입니다. 읽기는 좋아해도 쓰기는 좋아할 수 없을 것 같았습니다. 머리를 쥐어뜯으며 만들어 낸 이야기를 보며 이제는 글쓰기도 좋아한다고 말할 수 있게 되었습니다. 앞으로 더 많은 이야기를 만들어내고 싶습니다.

방랑치타 이오

휘잉휘잉.

바람이 불어오는 호숫가 근처에서 어린 가젤이 물을 마시고 있다. 오늘 첫 사냥에 나선 아기 치타 이오는 수풀에 몸을 숨긴 채 살금살금 다가갔다. 긴장감에 목이 탔지만 멀리서 지켜보고 있을 엄마를 떠올리자, 용기가 솟아났다.

"크앙!"

이오는 작은 송곳니를 드러내며 가젤을 향해 달렸다. 제법 용맹하게 덤벼들었지만, 아직 어린 새끼들의 전투는 치열했다. 결국 보다 못한 이오의 엄마는 어린 가젤의 목을 물어 사냥을 끝냈다.

"흑… 엄마."

죽음을 앞둔 새끼 가젤은 얕은 숨을 내뱉으며 눈물을 흘렸다. 엄마는 멋진 첫 사냥이었다며 이오를 칭찬했지만, 이오는 가젤의 마지막 순간을 잊을 수 없었다.

강렬한 첫 사냥 이후 이오는 사냥할 때면 주춤하게 되었다. 그렇게 실패를 거듭하며 이오는 성인이 되어갔다.

"또 놓쳤어."

오늘도 역시나 사냥은 실패였다. 터덜터덜 되돌아가는 이오의 발걸음이 무거웠다.

곧 성인이 되는 치타 이오는 다가오는 봄이 되면 성인식을 치른 뒤, 형들이 있는 치타 무리에 합류해야 했다. 하지만 이오는 매번 사냥에 실패하기 일쑤였다. 이오의 두 다리는 가젤의 속도를 쫓을 수 없었고, 겁에 질린 다람쥐의 목덜미조차 물어뜯지 못했다.

"레이 형이었다면 이미 성공하고도 남았을 텐데."

이오는 얼마 전 성인식을 치르고 큰형 무리에 합류한 둘째 형 레이의 사냥 장면을 떠올렸다.

레이는 이오와 달랐다. 긴 꼬리로 요리조리 방향을 바꿔가며 전력으로 도망치는 가젤과의 거리를 점차 좁혀갔다. 레이가 가젤의 목덜미를 무는 순간이 생각난 이오는 눈을 질끈 감아버렸다.

"으악 징그러워."

이오는 마치 피를 흘리는 가젤이 눈앞에 있는 것처럼 속이 울렁거렸다.

마침내 이오의 성인식이 다가왔다. 치타의 성인식은 큰 뿔 사슴을 사냥해 가족에게 선물하는 전통이 있다. 이오의 집에는 형들이 떠날

256

때 잡아 온 사슴뿔 두 개가 장식되어 있었다. 사슴뿔은 더 이상 늘어나지는 않을 모양이었다. 이오는 사슴은 커녕 살아있는 다람쥐 한 마리를 겨우 물어왔다.

엄마는 사냥을 못 하는 이오를 위해 말린 고기를 가득 채운 주머니를 쥐여주었다. 그러고는 걱정 가득한 시선으로 형제 무리의 위치를 자세히 설명했다.

"아가, 잘 기억해야 해. 평야를 가로지르면 위험한 녀석들을 만날지도 모르니 꼭 나무가 우거진 쪽으로만 이동해야 한다. 잠을 잘 땐 나무 위로 올라가고, 위험한 상황에도 나무 꼭대기에서 늘 주변을 경계하렴. 대평야를 지나 작은 호수 넘어 초원으로 향하면 너희 형들의 냄새를 맡을 수 있을 거란다."

레이가 떠날 때는 이렇게 자세히 길을 설명하지 않았던 엄마였다.

'형들이 날 반겨줄까? 나 같은 무능력한 짐덩이를.'

"엄마, 제가 형들 무리에 들어가도 되는 걸까요? 전, 성인식도 제대로 치르지 못했는데."

이오의 속마음을 모르는 엄마는 단호하게 말했다.

"그러니 더더욱 형들에게 가서 배워야지! 아직 늦지 않았다. 형들에게 의지하면서 앞길을 잘 찾아보렴."

"알겠어요."

이오는 시무룩하게 말했다. 이제는 정말 어디로든 떠나야만 한다는 걸 깨달았다. 엄마는 눈에 눈물이 그렁그렁한 채 말했다.

"아가, 엄마는 네가 어떤 방식으로든 그저 살아남기를 바란단다."

"엄마, 그리울 거예요."

말린 고기 주머니를 입에 물고 집을 나선 이오는 목적 없이 떠돌았다. 낮에는 수풀에 몸을 숨기고 낮은 자세로 걸었다. 해가 지면 나무위로 올라가 말린 고기를 뜯었다. 홀로 나온 세상은 안심할 곳이 없었다.

이오는 어디선가 고기 냄새를 맡고 나타난 하이에나를 피해 높은 나무로 도망가기 일쑤였다. 겁쟁이 치타라며 놀리는 소리가 들렸지만 창피하지도 않았다. 이오는 어떻게든 살아남아야 했다.

집을 떠난 지 얼마나 지났을까, 이오는 한숨 섞인 눈으로 남은 고기를 가늠했다.

"고기도 얼마 남지 않았네."

더 이상 상황을 외면할 수는 없었다. 이오는 형 레이가 떠나기 전 당부했던 말을 떠올렸다.

"이오! 넌, 용맹한 사냥꾼이 될 거야! 분명 우리 마을에서 나 다음으로 가장 빠르고 강한 치타가 될 거라 믿어!"

이오는 확신에 찬 그날의 레이 얼굴을 생각하며 사냥에 도전해 보기로 했다. 하지만 여전히 사냥할 때면 몸이 움츠러들었다.

'나는 바보야! 말린 고기도 다 떨어져 가는데 이제 진짜 어떡하지?'

이오는 걷고 또 걸었다. 말린고기가 바닥나고 배가 고파 쓰러질 지경이었지만 걸음을 멈출 수는 없었다. 어디서 맹수가 나타나 공격할까 두려웠기 때문이다. 배불리 먹고 마음 편히 쉬어본 적이 언제였지?

이오는 마음껏 먹고 즐겼던 진수성찬을 떠올렸다.

그런데 정말로 어디선가 맛있는 냄새가 흘러오는 것이 아닌가! 갑자기 숲속에서 고기 냄새라니, 굶주린 이오는 아무런 의심없이 흘린 듯 냄새를 따라갔다.

침을 줄줄 흘리며 풀숲을 헤치던 이오의 앞에 덩실덩실 움직이는 하얀 털뭉치가 보였다. 기다란 수풀을 걷어내고 가까이 다가가자 혼잣말하는 소리가 들렸다.

"이게 웬 떡이람? 푸릇푸릇한 클로버가 가득하다니! 오늘은 운수가 좋구나! 음, 향긋한 풀 내음, 어디 한번 맛 좀 볼까?"

한껏 차려진 만찬에 절로 춤사위를 놀리던 토끼는 바스락하는 소리에 고개를 돌렸다.

"끄아아아아악!"

토끼는 난데없이 눈앞에 등장한 치타를 향해 비명을 질렀다. 덩달아 놀란 이오도 괴성을 질렀다.

"으아아아악!"

잠시 정적이 흐르고, 이오는 눈앞의 털 뭉치가 토끼였다는 걸 깨닫고 안심했다. 그러나 토끼는 갑자기 맞닥트린 죽음의 위기에 당황하며 도망갈 틈을 찾기 바빴다.

"저기, 나도 먹어도 될까?"

흐르는 침을 꿀꺽 삼키며 치타가 말했다. 화들짝 놀란 토끼는 바닥에 몸을 납작 엎드려 말했다.

"아이고 치타님 제발 목숨만 살려주십시오! 이래 봬도 나이가 들어

맛도 없을 겁니다!"

"무슨 소리야! 네가 아니라 저기 있는 고기 말이야?"

"예? 고기라뇨? 어떤 고기를 말씀하시는지….."

토끼는 뜬금없이 고기를 찾는 치타를 경계하며 주변을 둘러보았다. 자세히 보니 클로버밭 옆에 죽은 사슴이 보였다. 토끼는 조심스레 물러나며 흔쾌히 대답했다.

"예이! 물론이죠. 웬 사슴이 죽어있나 했더니 치타님을 위한 거였나 봅니다. 하하."

"고마워. 내가 너무 배가 고파서."

그동안 굶주렸던 이오는 급하게 달려들어 배를 채우기 시작했다.

'저 무도한 치타가 나도 먹으려 하기 전에 얼른 도망가자!'

이때다 싶어 도망가려던 토끼에게 이오가 말했다.

"앗, 토끼야. 너도 와서 같이 먹자."

"뭐요? 저도 먹겠다고요!"

도망칠 기회를 엿보며 한 손에 야무지게 움켜쥔 클로버가 땅바닥에 흩날렸다.

"아니라고! 이건 원래 네 먹이였으니까 이리 와서 같이 먹자."

이오는 토끼의 엉뚱한 말에 놀라 서둘러 대답했다. 사실 이오는 죽은 사슴이 토끼의 먹이라는 생각에 내심 미안했기 때문이다. 반면 초식동물인 토끼는 이오의 말에 경악했다.

"맙소사. 토끼인 제게 고기를 먹으라니 치타님은 너무 가혹하십니다!"

"뭐? 토끼는 고기를 안 먹어? 그… 그럼 뭘 먹고 힘을 내?"

이오는 당황스러웠다. 고기가 아니라면 무얼 먹는다는 건지 도무지 알 수 없었다.

토끼는 이 상황이 혼란스러웠지만 제법 세월을 살아온 덕에 침착하게 치타를 관찰했다. 자세히 살펴보니, 치타는 갓 성인이 된 듯 앳된 모습이었다. 비쩍 마르고 더러운 털가죽을 보아하니 가출했거나 무리에 섞이지 못한 듯 보였다.

"크흠. 저와 같은 초식동물들은 고기를 먹지 않습니다. 보아하니 무리에 아직 들어가지 못한 듯한데 길을 잃으셨나요?"

"아니…. 난 갈 곳이 없어."

"저런. 따로 가족이 없으신가 보군요. 하지만 걱정하지 마세요. 저쪽 산 넘어 치타님들이 모여 사는 호숫가로 가시면 금방 무리를 찾으실 거예요."

"그런 뜻이 아니야. 어차피 무리에 간들 다들 날 환영하지 않을 거야. 당연해. 난 사냥도 못 하는 멍청이니까."

이오는 새삼 자신의 처지를 실감했다. 이제 남은 먹이도 떨어지고 갈 곳도 없었다. 오늘처럼 운 좋게 죽은 고기를 발견하지 않는다면 나무 열매만 먹다 쫄쫄 굶을 것이 뻔했다. 막막한 마음에 눈물이 방울져 고였다.

"거참 사냥이 뭐 별겁니까! 고기가 없으면 클로버를 먹으면 되죠. 또 정해진 곳이 없다면 그야말로 어디든 내 집이 되는 거 아니겠습니까. 방랑하는 삶이 얼마나 멋지다고요."

"방랑하는 삶? 그게 뭐야?"

사냥 못 한다는 이오의 말에 토끼는 긴장을 풀며 편안한 표정으로 말을 이었다.

"방랑하는 삶이란 말이죠. 오롯이 나만을 위한 하루를 만들어 가는 삶이에요. 바로 저처럼 누구 눈치 볼 필요 없이 발길이 닿는 대로 걷고 바람이 부는 길을 따라 잠자리를 만들면 돼요. 내가 원하는 대로 자유롭게! 그래서 하루하루가 두근두근한 모험이지요."

방랑이란 멋진 단어였다. 이오는 이것이야말로 자신이 찾던 삶이라 생각했다. 형들처럼 용맹한 사냥꾼은 못되더라도 숲을 탐험하고 유유자적한 날들을 보내는 방랑모험가라면 제법 괜찮지 않은가.

"나한테도 알려줘. 어떻게 하면 너처럼 멋진 방랑모험가가 될 수 있어?"

"방랑모험가! 캬~ 듣기 좋은 말이군요. 근데 이걸 어떻게 설명해야 할지. 흠… 에잇, 이런 건 말이 아니라 몸으로 배우는 거죠. 저와 함께 가시겠어요?"

토끼는 충동적으로 결정했다. 날카로운 송곳니며 커다란 앞발을 가진 맹수지만 처량한 치타의 모습을 보니 가여웠다.

"정말? 너무 좋아! 내 이름은 이오야. 잘 부탁해."

"전 래미예요. 보시다시피 초식동물이니까 살살 대해주세요."

래미와 함께하는 생활은 놀라웠다. 땅의 발자국을 관찰하며 맹수가 없는 곳을 찾거나 먹을 수 있는 열매와 풀을 골라내는 방법을 배웠다. 호수가 없으면 새벽이슬을 모아 목을 축이고 밤에 땅굴을 파 몸을 숨기기도 했다. 비록 이오가 들어갈 만큼 굴을 파는 것은 힘들어서 나무 위로 올라가야 했지만 이오는 마냥 즐거웠다.

"래미, 이제 어디로 갈 거야?"

"무조건 직진이지. 직진! 이렇게 쭉 걷다 보면 이 세상을 모두 둘러 볼 수 있을 거야."

"그거 멋지다! 좋아. 그럼 나도 무조건 직진이야!"

숲엔 항상 나무 열매와 나뭇잎이 무성했다. 래미는 굶을 일이 없다 며 좋아했지만, 이오는 사실 늘 배가 고팠다.

"오늘은 풍년이네! 캬~ 이 싱그러운 클로버 좀 봐봐. 세상에! 이오, 여기 버섯도 있어. 요게 바로 숲의 고기라니까! 이럴 땐 기쁨의 춤을 춰야지! 엉덩이를 좌우로 흔들흔들~."

"뭐? 숲의 고기! 래미는 진짜 대단해! 엉덩이를 좌우로 흔들흔들~."

오랜만의 만찬에 둘은 덩실덩실 춤을 추며 행복을 만끽했다. 하지 만 버섯을 먹어도 이오의 허기는 해결되지 않았다.

날이 갈수록 이오는 쇠약해졌다. 그런 이오의 모습을 보며 래미는 여간 걱정이 아니었다.

"이오는 몸집이 커다란 만큼 더욱더 많이 먹어야 해. 자자, 이 클로 버 밭은 모두 양보할 테니 전부 다 먹어!"

"으… 응. 고마워, 래미."

기껏 양보했건만 기운 없이 깨작깨작 풀을 뜯는 이오를 보며 래미 는 큰 결심을 한다.

깊은 밤, 겁이 많은 이오를 겨우 설득한 래미는 사자의 영역에 발을 디뎠다. 이오는 떨리는 목소리로 말했다.

"래미, 어쩐지 감이 좋지 않아. 그냥 나가자."

"쉿! 지금은 사자도 잘 시간이니까 살짝 둘러보고만 가자. 고기 한 점이라도 구할지 모르잖아."

누군가에 들킬세라 한껏 몸을 낮추고 한 발 한 발 내디디며 둘은 주변을 훑어갔다. 사락거리는 수풀을 헤치고 땅에 코를 박고 고기 냄새를 찾아다녔다.

이오는 심장이 벌렁벌렁하고 식은땀이 나기 시작했다. 불안한 마음에 되돌아가자고 말하려는 찰나, 수풀 너머에서 고조된 래미의 목소리가 들렸다.

"고기다! 이오, 여기 고기가 있어! 크으~ 역시 나는 운이 좋다니까."

이오는 허겁지겁 래미를 향해 달려갔다. 래미가 흥분하며 말했다.

"봤어 이오? 훗, 내가 이런 토끼라니까. 마음먹으면 못 하는 게 없다고!"

"래미, 쉿! 일단 여길 벗어나자."

이오는 래미를 진정시켰다. 그러고는 기쁜 마음을 애써 가라앉히며 안전한 곳으로 이동하기 위해 고기를 입으로 들어올렸다. 바로 그때, 둘의 등 뒤로 서서히 어둠이 드리워졌다. 온몸에 소름이 돋은 래미가 뻣뻣해진 고개 돌리자, 달빛을 가린 수북한 갈기가 눈에 들어왔다.

"도… 도망쳐!"

래미가 엉겁결에 외쳤다. 이오는 그 순간 엄마와 형에게 들었던 이야기가 생각났다.

"이오 들어보렴. 너희 형도 어릴 땐 매일 사냥에 실패했단다. 그게 오죽 자존심이 상했던지, 꼭 성공하겠다며 사자들의 경계선까지 가는 바람에 죽다 살아온 적도 있지 뭐니."

"그땐 정말 죽는 줄 알았다니까. 멀리서 사자의 무리가 보였을 땐 그대로 오줌을 지렸다고. 마침 수풀이 우거져서 살아나올 수 있었던 거야. 이오. 넌 절대로 사자들의 경계선으로 가면 안 돼."

이오는 붙잡히면 죽을지도 모른다는 두려움에 뛰고 또 뛰었다. 그러다 정신을 차렸을 땐 주위엔 아무도 없었다. 사자도 래미도 보이지 않았다.

"래미, 어딨어! 대답해!"

이오의 외침에 누구도 답해주지 않았다. 캄캄한 어둠에 가려져 자신이 있는 곳이 어딘지도 어느 방향에서 왔는지도 가늠이 되지 않았다. 이오는 망연자실한 채 털썩 주저앉았다.

'래미가 사자에게 잡혔으면 어떡하지? 하지만 내가 가봤자 사자의 밥이 될 거야. 무서워. 도망쳐야 해.'

형인 레이조차 사자의 영역에서 도망치는 것이 최선이었다. 보이지 않는 래미가 걱정되었지만 차마 찾으러 갈 용기가 나지 않았다. 나약한 스스로가 끔찍했지만, 사자를 대적하는 건 상상할 수조차 없었다. 이오는 두려움에 잠식되어 갔다.

'사냥이 뭐 별건 가? 다른 사람 눈치 보지 말고 내가 원하는 대로

살아가는 거야! 고기가 없으면 클로버를 먹으면 되잖아!'

'킁킁. 여긴 안 되겠어. 하이에나 냄새가 나. 딴 곳으로 가자!'

'이오, 직진이야! 직진!'

문득 수없이 자신을 격려해 주던 래미의 말들이 떠올랐다. 혼자선 아무것도 못 하던 자신을 보듬고 가르쳐 준 래미 덕분에 행복했던 날들도.

'작은 몸으로 래미는 날 위해 사자의 영역까지 왔는데, 난 비겁하게 혼자 도망칠 생각이나 했어. 정신차리자! 래미만큼은 내가 지켜줘야 해.'

이오가 각오를 다진 그때였다.

"끄아아아아 래미 살려!"

멀리서 들려오는 래미의 비명에 이오는 벌떡 몸을 일으켜 소리가 들리는 방향으로 달려 나갔다.

"흐아악 사자 양반! 이게 무슨 우욱! 밤에 야식은 몸에 해롭다고 했습니다요. 우욱!"

이오의 눈앞에 새하얗게 겁에 질린 래미의 얼굴이 보였다. 사자는 커다란 앞발로 래미를 이리저리 굴리며 재밌다는 듯 웃고 있었다.

"래미를 괴롭히지 마!"

"호오, 좀 전에 도망친 겁쟁이 치타 아냐? 왜, 이 토실한 토끼를 버리자니 아까웠나 봐?"

이오는 전에 느껴본 적이 없었던 분노가 차올랐다. 눈앞의 광경을 보자 사자에 대한 두려움보다는 래미를 구해야겠다는 마음이 커졌다.

266

"크앙! 그만두지 못해!"

이오는 날카로운 송곳니를 드러내며 사자에게 달려들었다.

"애송이 치타 주제에 겁도 없이 어딜 덤벼."

노련한 사자는 가소롭다는 듯 이오의 공격을 피하며 이오의 목을 노렸다. 이오는 속도를 높여 이리저리 도망치며 사자를 약 올렸다. 바짝 약이 오른 사자가 커다란 몸을 들어 올리며 앞발을 휘두르자, 재빨리 빈틈으로 파고든 이오가 사자의 옆구리를 물었다.

"으윽."

"래미! 얼른 도망쳐!"

이오가 외치자 웅크린 채 덜덜 떨고 있던 래미가 달려 나갔다. 곧이어 성난 사자가 위협적으로 이를 드러내며 이오를 향해 도약했다. 이오는 방어하는 척 사자의 시선을 돌리고 빠르게 자세를 바꿨다. 앞서 나간 래미를 덥석 물고는 그대로 질주했다.

"어? 뭐야! 야, 거기 안 서!"

당황한 사자가 이오를 따라붙었지만, 눈 깜짝할 사이 멀어진 이오를 따라잡긴 힘들었다.

이오는 오로지 달려야 한다는 생각뿐이었다. 오늘 밤 보금자리로 정한 호숫가에 도착해서야 이오는 달음질을 멈추고 래미를 내려놓았다.

"아이고 이번엔 정말 죽는 줄 알았네."

래미는 아직도 덜덜 떨리는 다리를 감싸 안으며 말했다. 그러고는 숨이 차 몸을 들썩거리는 이오를 칭찬했다.

"이오 진짜 대단했어! 이제 누구도 이오를 따라잡지 못할 거야. 넌 정말 최고의 치타야!"

"흐흑… 아니, 난 여전히 겁쟁이야. 래미는 나 때문에 사자의 영역까지 갔는데, 비겁하게 나 혼자 달아났어. 흐아앙 래미 미안해."

래미는 이오가 갑자기 울음을 터트리자 몹시 당황했다. 겁많은 이오가 사자를 향해 거침없이 공격하던 모습을 떠올리며, 작은 솜방망이 같은 앞발로 이오의 눈물을 닦아주었다.

"이 바보야. 진짜 비겁한 겁쟁이였다면 날 버리고 그대로 사라졌겠지. 하지만 넌 다시 돌아왔잖아! 날 구하기 위해 사자와 싸웠어! 넌 누구보다 용맹한 사냥꾼이라고!"

"훌쩍. 래미 그럼 날 용서하는 거야? 앞으로도 나랑 함께해 줄 거지?"

이오는 이제야 안심한 듯 바닥에 궁둥이를 붙였다. 하지만 래미는 아무런 말 없이 무언가 골똘히 생각했다. 그런 래미의 모습이 불안했지만, 이오는 그저 조용히 기다렸다. 래미는 이제 이오를 보낼 때라는 것을 깨달았다. 맹수로 자각한 지금이라면 치타의 무리에 스며들 수 있을 테니까.

"이오, 이제 치타 무리로 돌아가."

"싫어! 난 래미랑 방랑모험가가 될 거야!"

"넌 더 이상 겁쟁이가 아니야. 친구를 위해 위험을 무릅쓰는 용기 있는 치타니까! 너도 알잖아. 앞으로 네가 무엇을 배워야 할지."

"래미가 가르쳐주면 돼! 래미는 뭐든 알잖아!"

눈물을 그렁그렁 달고 떼를 쓰는 이오를 보며 래미는 슬픔을 참으며 애써 단호한 표정을 지었다.

"아니, 난 못해. 이오. 하지만 네가 치타로 살아가려면 치타만의 삶의 방식을 꼭 배워야 해. 넌 이 래미의 마음가짐을 배웠으니까, 누구보다 재기 넘치는 방랑 치타가 될 수 있을 거야."

꾹 울음을 누르고 엄한 표정을 짓는 래미를 보며 이오는 이제 이별의 시간이 되었음을 알았다.

"그럼, 약속해 래미. 내가 누구보다 강한 치타가 되면 함께 세계를 여행하는 거야."

"당연하지! 이오야 말로 나 잊으면 안 돼!"

어스름한 새벽이 지나고 아침 해가 밝아오고 있었다. 이오는 모처럼 다짐한 마음이 바뀌기 전에 자리를 털고 일어났다.

"난 래미를 잊지 않아. 래미랑 함께한 시간을 소중히 기억할 거야. 래미, 잘 있어."

울컥 흘러나오는 눈물을 감추기 위해 래미는 뒤돌아 작별의 인사를 했다. 축 처진 귀를 바짝 올려 춤을 추듯 흔들며 그렇게 한참을 배웅했다. 흘끗흘끗 뒤를 돌아보던 이오는 어느덧 앞을 향해 달렸다. 강렬한 아침 햇살을 받으며 홀로 치타의 영역으로 향하는 이오의 힘찬 발걸음은 빛나는 이오와 래미의 미래를 보여주는 듯했다.

거짓말 산 대소동

고현서

고현서

2013년 서울에서 태어나 4학년에 처음으로 동화 「거짓말 산 대소동」 책을 쓰게 되었어요. 어릴 때부터 글쓰기를 좋아해서 시간이 나면 책을 읽거나 동화를 쓰거나 일기를 쓴답니다. 지금은 블로그도 운영하고 있어요. 아이들에게 행복과 교훈을 주는 동화 작가가 되는 것이 꿈이에요.

거짓말 산 대소동

어느 마을에 유현이라는 아홉 살짜리 여자아이가 살았다. 유현이는 1학년 때까지만 해도 숙제가 별로 없었지만, 2학년이 되자 숙제가 늘어났다. 더군다나 엄마는 유현이를 수학과 영어 학원에 보냈다. 유현이는 숙제 때문에 친구들과도 도통 놀 시간이 생기지 않았다. 매일 놀이터에서 함께 놀던 예미와 민수가 그리웠다.

엄마는 유현이가 숙제를 끝낸 뒤 조금이라도 시간이 남은 듯하면, 이때다 싶어 문제집을 잔뜩 들고 유현이 방으로 들어왔다. 엄마의 얼굴은 미소가 가득했다.

"유현아, 간식 좀 먹으면서 공부해~."

'으… 간식이 있다는 건 또 문제집이 태산만큼 있다는 뜻이겠군.'

하지만 유현이는 엄마의 말을 듣지 않아서 굳이 일이 더 꼬이게 하고 싶지 않았다.

"네…."

그러던 어느 날 유현이가 학교에서 집으로 돌아오니 엄마가 없었다. 식탁을 보니 엄마가 남긴 쪽지와 간식과 문제집이 두툼하게 쌓여 있었다.

'유현아, 엄마 이모 집에 잠깐 다녀올게. 간식 먹고 문제집 각각 3장씩 풀어 놓으렴. 엄마가 돌아오면 채점해 줄게. 파이팅!'

그 순간 베란다 밖으로 놀이터에서 예미와 민수가 노는 소리가 들렸다. 유현이는 간식을 손에 쥔 채 놀이터로 달려갔다.

'조금만 놀다가 숙제해야지.'

하지만 유현이는 시간 가는 줄 모르고 놀다가 해가 산 너머로 질 때 집으로 돌아왔다. 그런데 엄마가 집에 벌써 와 있었다. 엄마가 굶주린 암사자처럼 아주 무서운 얼굴에 톡 쏘아붙이는 목소리로 질문 하는 것이 아닌가!

"유현아~ 너 숙제는 하고 나갔다 오는 거니?"

유현이는 자기도 모르게 말을 재빨리 내뱉었다.

"네? 당연하죠! 그 정도는 저도 알아서 해요."

'아, 어떡하지… 사실이 아닌데. 엄마가 당장 숙제 검사를 하면 어떡하지?'

유현이의 심장이 빠르게 두근거렸다. 엄마는 의심스러운 눈을 하시더니 유현이에게 밥을 먹자며 불렀다. 유현이는 안도의 한숨을 내쉬었다.

그렇게 유현이의 거짓말 습관이 시작되었다.

이후로 유현이는 매일 한 번씩 거짓말을 했다. 처음에는 로션을 발랐냐고 물어보면 발랐다고 하면서 사소한 거짓말을 하곤 했다. 이후 유현이는 숙제를 했다. 답안지를 베끼지 않았다 등 갈수록 뻔뻔해졌다. 결국에는 우유를 쏟고 엄마의 바지로 우유를 닦은 것과, 몰래 컴퓨터를 한 것까지 아니라고 하며 큰 거짓말로 넘어갔다.

유현이는 그렇게 점점 거짓말쟁이가 되어갔고 엄마와 아빠는 평소 올바른 유현이가 오늘도 잘했구나 믿으며 아무것도 몰랐다. 유현이는 칭찬을 받으니 기분이 좋았다. 거짓말을 하면 혼이 나지 않고, 엄마와 아빠가 화나지 않으니 모두에게 좋은 일이라고 생각했다.

유현이는 그렇게 거짓말을 하고 또 하고 하였다. 가장 자주 하게 된 거짓말은 바로 '몰래 컴퓨터를 하지 않았다'였다. 유현이는 컴퓨터 게임을 잔뜩 했다. 엄마 아빠는 지나치게 게임을 하는 유현이가 신경이 쓰였지만, 그저 유현이의 말을 믿었다.

유현이는 학교에서도 거짓말을 했다. 친구들과 떠들고 있는 유현이를 보고 선생님이 물었다.

"백유현, 지금 떠들었니?"

"아니요!"

유현이는 뻔뻔하게 잡아뗐다.

어떤 날은 예미의 필통에서 연필을 몰래 꺼내 썼다가 다시 가져다 놓았는데, 연필심이 뾰족하지 않은 것을 보고 예미가 말했다.

"네가 가져다 썼니?"

"아, 아니야! 왜 의심을 하는 거야? 그러고도 네가 내 친구야?"

유현이는 오히려 큰소리쳤다.

그렇게 유현이는 거짓말쟁이가 되었다.

그러던 어느 날 유현이는 놀이터에 놀러 갔다. 그네도 타고, 시소도 타고, 미끄럼틀도 탔다. 그때 한 아이가 유현이에게 다가왔다. 유현이가 한 번도 본 적 없는 낯선 아이였다. 특이했다.

아이의 하늘빛 티셔츠가 어찌나 얇아 보이는지, 마치 피부에 찰싹 달라붙어 있는 듯했다. 더군다나 더운 날씨에 어울리지 않게 긴 치마를 입고 있었다. 또 등에는 발끝까지 늘어지게 비닐 망토를 두르고 있었다. 유현이는 생각했다.

'이사를 온 아이인가? 옷이 진짜 특이하다, 추운 나라에서 왔나?'

그 아이가 유현이에게 말을 걸었다.

"안녕? 나랑 같이 놀래? 이 동네에 온 지 얼마 안 돼서 아직 친구가 없거든."

유현이는 혼자 노느라 심심했는데 잘 됐다고 생각했다.

"그래! 우리 같이 놀자!"

"정말 고마워! 그럼, 우리 저쪽으로 가 볼래? 재미있는 곳을 발견했거든."

"오 정말? 좋아!"

유현이는 그 아이 뒤를 따라갔다. 얼마쯤 시간이 지나자 유현이가 물었다.

"우리 지금 어디 가는 거야? 너무 멀리 온 것 같은데…."

"이제 거의 다 왔어. 내가 조금 전에 봐둔 동굴로 갈 거야."

아이는 유현이를 데리고 동네에 있는 뒷산으로 갔다. 뒷산은 유현이가 가끔 아빠와 함께 산책하러 나가는 곳이었다. 산책하러 나갈 때에는 익숙한 곳이었는데 오늘따라 유현이는 뒷산이 조금 낯설게 느껴졌다. 거기에는 조그마한 동굴이 있었다. 유현이가 생각했다.

'어? 이 동굴은 처음 보는데?'

동굴의 입구는 덩굴로 뒤덮여 있었다.

"이 안에 고양이들이 아주 많거든."

"정말? 나는 동물을 좋아해! 특히 고양이는 더더욱!"

평소 길고양이를 좋아하던 유현이는 고양이라는 말에 반가운 표정을 지었다. 그런데 동굴을 다 지나도 고양이는 한 마리도 보이지 않았고 낯선 숲으로 들어오게 되었다. 순간 동굴의 입구가 바위로 막혔다.

"쿵!"

유현이는 깜짝 놀라 뒤를 돌아봤다. 그런 유현이를 아이는 재빨리 잡아끌었다.

"어서 따라와 봐! 동물들을 봐야지."

숲속에는 한 번도 본 적이 없는 나무들이 있었다. 한눈에 봐도 웅장해 보이는 나무가 있었다. 유현이는 낯선 풍경에 조금 무서우면서도, 특이한 나무에 금방 시선을 빼앗겼다.

나무에 가까이 다가가 보니 기둥은 보라색이고 나뭇가지는 하늘색, 뿌리는 노란색이었다. 게다가 나뭇잎은 사과 모양의 빨간색이었다. 처음에는 그냥 사과인 줄 알았지만, 자세히 보니 사과 모양의 나뭇잎이었다. 눈에 이끌리는 나무가 또 있었다. 그 나무는 기둥에 무늬가 있었다. 무늬들은 움직이며 춤을 추기까지 했다.

유현이는 어리둥절했지만, 산속을 구경하느라 시간 가는 줄 몰랐다. 그 순간 유현이의 배에서 꼬르륵 소리가 났다. 유현이는 먹을 게 없나 주변을 살폈다. 그러자 아이가 물었다.

"혹시 배고파?"

유현이는 고개를 끄덕였다. 아이는 쏜살같이 달려가서 어디선가 빵 하나를 가지고 왔다. 그 빵은 아주 맛있어 보였다. 둥글넓적하게 생겨서 김이 모락모락 피어나고 있었다. 또 냄새는 어찌나 달콤한지 유현이의 코로 들어가 식도를 지나서 위장까지 느껴질 정도였다. 하지만 빵을 한입 베어 물자마자 뱉어버렸다.

"우웨에엑!"

'세상에나! 이게 음식이라고? 뭔가 모래를 먹는 기분이야. 너무 써서 차라리 약을 먹는 게 낫겠어.'

너무 쓴맛에 유현이의 혀가 썩어서 사라질 것만 같았다.

"왜 그래? 빵에서 쓴맛이라도 나? 모래를 먹는 기분이 드니?"

유현이는 깜짝 놀랐다. 아이가 자기 생각을 또렷이 안다는 것이 너무도 놀라웠다.

유현이는 점점 지쳐갔다. 유현이는 이내 잠이 쏟아질 것만 같았다. 유현이는 아이에게 모기만 한 소리로 조심스럽게 말했다.

"혹, 혹시… 이 산에 쉴 곳이 있니?"

유현이가 말하자 아이는 쏜살같이 어디선가 침대를 가져왔다. 머리만 대면 바로 잠들 것 같은 푹신한 베개와 온몸을 따뜻하게 감싸줄 것 같은 거위 털 이불이 있었다. 유현이는 한걸음에 침대로 달려가 힘껏 점프했다. 순간 유현이가 비명을 질렀다.

"으아아악! 내 다리! 내 다리가 부러진 것 같아!"

아이가 건네준 침대는 모양만 푹신해 보일 뿐 바위를 깎아서 만든 돌침대였다. 유현이는 다리가 너무 아팠다. 다행히 다리가 부러지지는 않았지만, 벼락을 맞은 것처럼 찌릿찌릿했다.

유현이가 아파서 울고 있는데 아이가 다가와 말을 걸었다.

"날 따라와, 이젠 정말 재미있는 것이 있을 거야."

유현이는 생각했다.

'지금까지 나에게 고통을 주었는데 이것도 날 속이려는 게 아닐까? 따라가지 말까?'

유현이는 잠시 고민했지만 어쩔 수 없이 아이를 다시 따라갔다. 낯선 곳이라 다시 돌아가기도 무서웠다. 얼마나 걸었을까. 나무가 많은 또 다른 울창한 숲이 나왔다.

그런데 그곳은 재미있어 보이는 물건이 하나도 없었다. 낡은 양동이와 금방이라도 부러질 것 같은 삽. 그리고 거인만이 들 수 있을 것 같은 커다란 도끼가 유현이의 눈에 들어왔다.

'이, 이걸로 어떻게 재미있게 논다는 거지? 뭘 한다는 거야?'

그때 아이가 얘기했다.

"자, 지금부터 나뭇가지를 쳐야만 해. 이걸 저녁까지 다 하지 않으면 너에게는 정말로 먹을 것을 주지 않을 거야!"

"뭐라고? 날 또 속인 거야? 이제 집으로 보내줘!"

유현이는 참았던 울음을 터뜨렸다. 아이는 불쌍하다는 듯 말했다.

"아이고, 그렇게 집에 가고 싶어? 뭐, 어쩔 수 없지. 그럼 나를 따라와."

유현이는 계속 울면서 아이를 따라갔다. 도저히 눈물이 멈추지 않았다. 그런데 한참을 걸어도 계속 같은 길이 반복되었다. 산속을 뱅글뱅글 돌 뿐이었다. 유현이가 울음을 그치고 조심스럽게 물었다.

"으어엉… 그런데 집에는 언제 가는 거야?"

그러자 아이는 크게 웃었다.

"으하하하! 그건 말야… 다 거짓말이었어. 재밌지?"

유현이는 겨우 참았던 울음을 또다시 터뜨렸다.

"으앙, 이 거짓말쟁이! 지금 당장 날 집으로 보내줘."

아이는 계속 웃더니 자리를 떠났다.

유현이가 한 시간쯤 계속 울었을까. 엄마가 너무 보고 싶어졌다. 지나왔던 산속 길을 찾아 헤매었지만 아무래도 길을 잃어버린 것 같았다. 유현이는 털썩 주저앉았다. 그때 또 다른 낯선 아이가 나타났다.

"너도 거짓말을 해서 여기로 왔구나?"

유현이는 깜짝 놀랐다. 위를 보니 어떤 아이가 서 있었다. 유현이는 여전히 울먹거리며 이 아이도 자신을 속이려는 건 아닐까 걱정하며 물었다.

"너는 누구니?"

"혹시 어떤 아이가 너를 데리고 동굴을 지나지 않았니? 고양이가 많이 있을 거라면서."

"맞다. 어떤 특이한 애가 날 데려왔어."

유현이는 아이가 자신이 겪은 일을 알고 있자 신기하고 또 더욱 무섭기도 했다. 아이는 말을 이어 나갔다.

"그 아이는 네가 원하는 걸 주는 것처럼 했지만, 고통만 주었지? 결국 다 거짓말이었고."

"맞아 맞아."

유현이가 계속 맞장구쳤다.

"네가 만났던 아이는 변장한 이곳 거짓말 산의 병사야."

"병사는 뭐고, 거짓말 산은 또 뭐야? 왜 내가 여기에 오게 된 거지?"

유현이가 궁금해하자 아이가 말했다.

"여기는 거짓말 산이야. 아이들이 거짓말을 할 때마다 나무가 한 그루씩 심어지며 산이 만들어진단다. 나무가 거짓말 산 대장 나이만

큼인 333그루가 자라나면 그 아이는 거짓말 산 병사에게 끌려오게 돼"

"아… 내가 했던 거짓말 때문이라니. 거짓말 산 대장은 누구야?"

"거짓말 산 병사는 아이로 변장해 다른 아이들을 이 거짓말 산으로 데리고 와. 아이로 변장해서 다른 아이들을 꾀는 거지. 그리고 아이들은 거짓말 산으로 와서 이렇게 고통을 받고 있고. 거짓말 산 대장은 아이들을 많이 모아서 모두 신하로 만들 생각인 거야. 거짓말 산 대장의 말을 듣지 않으면 끔찍한 벌을 내릴 거야!"

"그럼, 이제 어떻게 되는데?"

유현이는 불안한 마음을 애써 누르며 차분히 물었다.

"거짓말 산에서 하루 안에 탈출하지 못하면 죽을 때까지 거짓말 산 대장의 신하로 살아야 해. 바로 나처럼! 나는 이미 탈출할 기회가 끝났어. 하지만 탈출할 기회가 남아있는 너와 함께한다면 탈출할 수 있어"

예지가 유현이의 손을 덥석 잡았다.

"아! 인사가 늦었네. 안녕? 내 이름은 한예지야. 너는?"

"나는 백유현."

유현이는 혹시 예지의 말도 거짓말이 아닐까 생각했다. 하지만 예지가 자신처럼 먼지투성이에 제대로 못 먹은 얼굴을 하고, 양 볼에는 눈물 자국이 여러 개나 있는 모습을 보고 거짓말 병사는 아닐 거라고 확신했다. 자신을 데려온 거짓말 병사는 처음 만났을 때부터 옷도 깨끗하고 얼굴에는 눈물 자국은 커녕 웃음이 번진 얼굴이었다.

유현이는 예지와 함께 거짓말 산에서 탈출하기로 결심했다.

"그래, 좋아!"

거짓말 산은 미로처럼 되어 있었다. 유현이는 길을 외우려고 했지만, 너무 복잡해서 도저히 외울 수가 없었다. 사실 예지도 미로의 길을 외워 본 적은 없었다. 아무리 오래 있었던 신하여도 거짓말 산 대장과 병사들 빼고는 이 길을 외울 수가 없었다. 유현이는 긴장되고 떨리는 마음으로 천천히 길을 파악해 보았다. 문득 유현이는 이런 생각이 들었다.

'여기는 거짓말 산이니까 이 미로의 길도 거짓말이 아닐까?'

혹시나 하는 마음에 미로에서 열려있는 길이 아니라 가로막힌 길을 살짝 밀어 보았다. 도저히 길이 나오지 않을 것 같은 벽이 금세 무너지더니 길이 나왔다. 유현이는 그 뒤로 막혀있는 길만 골라서 헤쳐 나갔다. 막힌 벽은 벽돌처럼 생긴 스펀지로 되어 있었고 그래서 그 벽을 뚫고 갈 수 있었다. 유현이의 생각이 맞았다.

유현이는 또 이런 생각을 했다.

'여기에서는 달콤한 말과 아름다워 보이는 것에 속지 말아야겠다.'

그렇게 유현이와 예지는 드디어 잠이 든 거짓말 산 대장이 있는 길목까지 왔다. 유현이와 예지는 몸을 숙이고 까치발로 조심조심 걸어갔다. 그 순간 대장이 잠에서 깨어나 눈을 번쩍 떴다.

거짓말 산 대장은 아주 아름다운 외모를 하고 있었다. 그리고 거짓말 산 대장은 유현이가 지금까지 했던 거짓말을 모두 다 알고 있었다.

"네가 유현이구나! 우리 유현이는 컴퓨터도 안 했다고 하고, 우유도 안 쏟았다고 하고, 친구의 연필도 가져가지 않았다고 했지? 또 로션도 발랐다고 하고, 친구도 때리지 않았다고 하고! 거짓말을 정말 많이 했잖아! 나는 거짓말이 정말 좋아!"

유현이는 깜짝 놀라서 눈이 탁구공만 해졌다.

'그, 그걸 어떻게.'

"유현이도 거짓말이 좋지? 정말 잘했다. 여기까지 온 걸 환영해."

거짓말 산 대장은 또 이런 말도 했다

"네가 이 거짓말 산에 평생 있으면 너도 나처럼 아름다워질 거야. 어때 좋지? 그리고 여기 있으면 마음껏 거짓말을 할 수 있어! 아무리 거짓말을 해도 마음이 편안하지! 왜냐하면 거짓말 산에 사는 사람들은 모두 거짓말을 좋아하니까 말이야."

유현이는 순간 그동안 거짓말을 했던 것을 후회했다. 자신이 했던 모든 거짓말이 머릿속에서 스쳐 지나갔다.

거짓말 산 대장은 음흉한 미소를 지으며 계속 말했다.

"네가 가장 친한 친구들을 데리고 오면 널 풀어 줄게. 어때? 친구들을 거짓말로 꾀어서 데려와!"

그때 유현이가 말했다.

"친구를 데려오면 여기서 일만 시킬 거 다 알아! 나는 친구들을 위해서라면 말하지 않을 거야!"

그러자 거짓말 산 대장의 모습이 흉측하게 변했다. 그것이 거짓말 산 대장의 원래 모습이었다. 거짓말 산 대장이 분한 목소리로 말했다.

"이런! 백유현! 감히 나의 아름다운 외모를 해치다니! 친구들을 데려오지 않겠다 이거지? 그럼, 너도 여기서 못 나가!"

사실 거짓말 산 대장은 아이들이 거짓말을 할 때마다 아름다운 모습으로 변해갔던 것이다. 유현이는 좀 더 힘을 주어 말했다.

"거짓말로 사람들을 속일 순 없어! 나는 거짓말이 싫어."

그러자 아름다웠던 거짓말 산의 나무들도 앙상한 가지만 남은 채로 변하기 시작했다. 거짓말 산이 시들어가자 거짓말 산 대장은 예지와 유현이를 쫓아 오기 시작했다.

"백유현! 나의 아름다운 거짓말 산을 망치고 있잖아! 뭐 하는 짓이야! 거기 서지 못해?"

유현이와 예지는 있는 힘을 다해 도망갔다. 유현이가 예지에게 소리쳤다.

"예지야! 거짓말 산 대장이 팔을 늘리고 있어! 어떡해, 우리 쪽으로 긴 팔이 오고 있어!"

"나도 모르겠어. 팔이 내 쪽으로 늘어나고 있어! 유현아, 무서워!"

그때 거짓말 산의 기다란 팔이 예지를 향해 늘어나더니 예지를 덥석 잡아갔다.

"예지 네가 어떻게 날 배신할 수 있니? 내 말을 듣지 않았으니 너는 이 산에 영원히 갇혀야 해! 백유현, 어서 친구들을 데려오너라. 그렇다면 예지와 함께 너를 놓아주겠다."

유현이는 다시 한번 거짓말 산 대상의 말에는 속지 않으리라 다짐했다. 그리고는 예지를 구하기 위해 있는 힘을 다해 달려 거짓말 산 대장의 몸을 타고 올라갔다. 거짓말 산 대장은 모습만 흉측한 괴물일 뿐 힘이 하나도 없는 나뭇가지처럼 가벼웠다.

'어라, 겉모습은 아주 무서웠는데, 이렇게 약한 나뭇가지라니!'

유현이는 높이 점프하여 거짓말 산 대장의 팔을 부러뜨렸다. 거짓말 산 대장이 비명을 질렀다.

"으악~ 내 팔!"

예지는 거짓말 산 대장의 팔에서 빠져나와 유현이와 함께 출구를 향해 달렸다. 거짓말 산 대장은 점점 더 흉측하게 변해가며 유현이와 예지를 계속 쫓아갔다.

"너희들 거기 서~ 내 목표는 아이들을 1,000명 모아서 거짓말 산에서 죽을 때까지 내 신하로 살게 하는 거였다고! 내 아름다운 모습을 돌려놔!"

유현이와 예지가 거짓말을 하지 않기로 마음먹자, 거짓말 산은 점점 더 무너져 가고 앙상한 나뭇가지만이 남았다. 거짓말 산 대장도, 거짓말 산도 점점 사라지고 있었다.

그렇게 거짓말 산은 모두 사라졌고 아이들은 큰바람에 휩쓸려 어떤 구멍으로 빨려 들어갔다. 유현이는 예지의 손을 꽉 잡으며 말했다.

"미끄럼틀이 거꾸로 올라가잖아!"

"거짓말 산이라서 그런가 봐!"

예지도 유현이의 손을 놓칠세라 힘을 더 세게 주었다.

"어지러워 죽겠어! 언제 끝나는 거야!"

끝이 없을 것 같았던 미끄럼틀은 마침내 유현와 예지를 놀이터에 떨어뜨렸다.

유현이와 예지는 겨우겨우 거짓말 산을 빠져나올 수 있었다. 유현이와 예지는 새끼손가락을 마주 걸었다. 그러고는 약속이라도 한 듯 같은 말을 했다.

"우리 앞으로는 절대 거짓말하지 말자!"

유현이는 거짓말 산 신하와 대장이 자신에게 한 것처럼 그동안 자신도 똑같이 거짓말을 해서 부모님과 선생님, 친구를 속인 일을 떠올렸다. 거짓말로 속이게 되면 겉으로는 좋아 보일지 몰라도 결국 거짓말을 통해서는 끔찍한 불행을 겪는다는 것을 알게 되었다.

그리고 며칠 뒤 학교에서 돌아온 유현이에게 엄마가 물었다.

"유현아~ 숙제했니?"

유현이는 잠시 당황했지만 일단은 숨을 한 번 쉬고 말했다.

"숙제는 밥 먹고 나서 하려고요. 죄송해요."

유현이는 혼날 준비를 하고 눈을 질끈 감았다. 그런데 엄마는 유현이를 혼내지 않았다. 큰 소리는커녕 친절하고 부드러운 목소리로 말했다.

"그래? 알았어. 다음번에는 숙제부터 다 하고 놀기. 자, 이제 손 씻고 밥 먹자."

그 말을 듣고 유현이는 거짓말을 하지 않아도 혼나지 않는다는 것을 깨달았다. 사실대로 말해도 걱정했던 일은 일어나지 않았다.

"네, 앞으로는 미리미리 숙제할게요!"

유현이는 그날부터 작은 거짓말도 하지 않는 진짜로 정직한 아이가 되었다. 유현이와 예지는 거짓말 산에 있었던 둘만의 비밀을 간직하며 친한 친구가 됐다. 유현이는 예지네 집에 종종 놀러 가 예지와 함께 그날 일을 이야기했다. 예지는 몸서리치며 말했다.

"그때 생각만 하면 진짜 끔찍해."

"난, 요즘 절대로 거짓말 안 하잖아."

그리고 유현이는 거짓말 산에 갔다 온 일을 비밀 일기장에 썼다.

'거짓말 산은 내가 느껴본 무서움이 모두 모여있는 곳이었다. 아무리 배고파도 먹을 수 없고 힘들어도 쉴 수 없었다. 아마도 놀이동산에 있는 귀신의 집도 거짓말 산보다는 안 무서울 거다.'

유현이는 가끔 일기장을 펼쳐보며 끔찍했던 거짓말 산을 떠올렸다.

'어딘가에 또 거짓말 산이 있을지도 몰라, 난 그 산에 다시는 가지 않을 거야!'

유현이는 이렇게 생각하며 일기장을 덮었다.

하고
싶은 말

변민영

변민영

즐겁게 행복하게 하고자 하는 것에 도전하였고, 완벽하지 않았지만 이뤄 냈으니 조금 더 기쁨으로 저의 세상을 확장하며 살고 싶은 작가 지망생입 니다.

하고 싶은 말

"잘 다녀와."

"네…."

현관 앞쪽에 쭈그리고 앉아 운동화를 매만지던 나는, 오늘도 중얼거리듯 인사하고 집을 나섰다. 매일 엄마에게 살갑게 말하고 싶지만, 입이 떨어지지 않아 머뭇거린 지 2년. 그 새 나는 4학년이 되었다. 사실 우리 엄마는 새엄마다. 2학년 때 내가 했던 말실수로 인해 엄마와 나는 어색한 관계가 계속되고 있었다.

"콜록"

터덜터덜 학교를 향해 걷던 나는, 갑자기 나오는 기침에 걸음을 멈췄다. 어제 이불을 걷어차고 자서 감기 기운이 있는 건가.

"콜록, 콜록"

그러나 기침은 멈출 줄을 몰랐고 나는 갑자기 불안해졌다.

"그 유행병도 기침 증상이 있다고 했는데…."

혹시 그 병에 걸린 건 아닐까?

요즘 심한 기침과 함께 말이 잘 안 나오는 병이 유행이다. 그 병은 며칠간 고열에 시달린 뒤, 기침이 나다가 심해지면서 결국은 목소리가 안 나온다고 한다. 회복될 때까지도 얼마나 걸리는지 알 수 없다고 했다. 나도 그 병에 걸렸으면 어쩌지 하는 불안한 생각이 들 때, 갑자기 기침이 멈췄다. 숨을 크게 들이쉬며 손목시계를 보니 벌써 8시 40분이다. 지각할 수도 있다는 생각에 급하게 뛰기 시작했다.

전속력으로 뛰어온 나는 교실에 도착해 자리에 앉자마자 거친 숨을 쉬며 책상에 엎드렸다.

"콜록, 콜록"

숨이 좀 진정됐다 싶을 때, 또다시 기침이 나기 시작했다. 이번엔 왠지 아까보다 크게 나는 것 같아서 소매로 입을 막으면서도 그 유행병에 걸린 것이 아닌지 불안해지기 시작했다.

"야, 너! 혹시…."

짝인 윤지가 자기 손으로 코와 입을 막았다.

"아니야. 뛰어와서 기침 나는 거야."

나는 유행병에 걸렸다고 오해받기 싫어, 기침하는 이유를 설명했다.

"참, 성재야."

금세 장난스럽게 웃던 윤지가 나를 불렀다.

"옆 반에 철우 있잖아. 오늘 결석한 이유가 '말 못 하는 병'에 걸려서래."

유행병 이름을 듣자 겨우 기침이 진정되던 중에 나는 또다시 몸이 긴장하는 것을 느꼈다. 혹시나 병을 의심받을까 윤지를 돌아보며 급하게 말을 걸었다.

"애들 괴롭힌다던 철우?"

"응. 기침이 막 나더니 속이 울렁거려서 병원에 갔대."

"가서 어떻게 됐대?"

병의 증상을 들으니 왠지 나도 속이 울렁이는 것만 같았다.

"의사 선생님께 증상을 말하다가 목소리가 안 나왔대."

"말이 그렇게 갑자기 안 나와?"

"사람마다 증상은 같은데 말이 언제 안 나올지는 사람마다 달라서 알 수 없대."

갑자기 말이 안 나올 수도 있다니! 나는 놀라 벌어졌던 입을 급하게 다물었다. 놀라 경직된 내게 윤지가 자기 얼굴을 가까이 댔다. 그러고는 큰 비밀인 듯 속삭였다.

"기침이 심해지면서 병이 진행되다가 그렇게 말을 못 하는 거지."

깜짝 놀라 소매로 다시 입을 막았다.

"그런데 성재야."

윤지가 나에게 말하려 할 때 담임 선생님이 들어오셨다. 말하지 못하는 병인지 아닌지 확신할 수 없는 나로서는, 불필요한 말을 하지 않아도 돼서 다행이었다.

그대로 수업이 끝날 때까지 입을 꾹 다물고 선생님만 바라봤지만, 머릿속에서는 후회되는 일들만 끊임없이 생각났다.

'정말 내가 말 못 하는 병에 걸린 거라면 어떻게 하지.'

그렇다면 마지막에 누구에게, 어떤 말을 해야 할까. 순간 손에서 떨어뜨릴 뻔한 펜을 잡고 내려다봤다. 새엄마가 나와 닮았다며 선물해 주신 노란빛 몸통의 곰 캐릭터 볼펜이었다. 웃고 있는 곰돌이 그림이, 매일 나를 보는 새엄마의 얼굴 같았다.

'그래. 계속 마음이 불편했는데 목소리에 마음을 전할 수 있다면, 새엄마한테 말해보자.'

나는 어쩌면 마지막이 될지도 모를 말에 용기를 내보기로 했다. 전할 말은 좀 더 고르고 골라야겠지만, 내가 예전처럼 새엄마와 지내기 위해서는 그날에 대해서 사과해야 하는 건 확실했다.

그날은 새엄마가 가족이 된 지 얼마 안 되던 때였다. 나는 놀이터에서 친구들과 정신없이 놀다가 해가 지고 주위가 어두워져서야 집에 들어간 적이 있었다. 집에 들어서자마자 새엄마는 나를 엄청나게 혼냈다. 나는 그게 그렇게 서운했다. 그래서 울면서 소리 질렀다.

"새엄마라 나를 혼내는 거잖아!"

그러고는 엉엉 소리 내 울었다.

물론 그날 이후도 나를 대하는 새엄마는 변함없이 웃어주셨고 반겨주셨지만, 나는 내 잘못을 알면서도 대들었다는 죄책감에 예전처럼 살갑게 다가가지 못했다.

확실하지 않지만, 충분히 '말 못 하는 병'의 증상은 나타나고 있었다. 말하다 보면 자꾸 기침이 심해져서 말을 아껴야만 했다. 그러다 새엄마가 비상용으로 넣어주신 마스크가 생각났다.

"성재야. 너 숙제했어?"

쉬는 시간 갑자기 말을 걸어오는 친구에게 대답하려다 급하게 고개를 끄덕였다. 그러자 친구가 나를 이상하게 바라봤다.

"왜 말을 안 해?"

나는 마스크를 쓰고 나서야 말을 했다.

"춥게 잤더니 감기 걸린 거 같아."

대답하고 또다시 나오는 기침 소리를 줄이기 위해 손으로 마스크 쓴 입 위를 덮었다. 아무래도 말하면 기침이 더 심해지는 것 같아 그 후로도 친구들의 물음에 짧게 대답했다.

수업 시간에도 새어 나오는 기침으로 수업에 집중할 수 없었다. 그러다 문득 생각이 났다. 말을 못 하게 되면 얼마나 불편할까. 친구들하고도, 선생님께도 글을 써서 보여줘야 하는 걸까? 말하는 것과 쓰는 건 속도 차가 나는데….

'다들 내가 글을 쓸 때 느려서 안 놀아주면 어떻게 하지.'

머릿속에서 쉴 새 없이 부정적인 생각들이 밀려왔다. 결국 점심시간에 급식도 먹지 않고 책상에 엎드린 채 보낸 나는, 정말 말을 못 하게 되는 꿈을 꾸고 말았다. 아무리 입을 벌려도, 소리를 내려 해도 바람 소리만 나서 눈물이 나올 뻔했다.

"괜찮아?"

화들짝 놀라며 잠에서 깨자, 윤지가 물어왔다. 대답 대신 고개를 끄덕이고 아무렇지 않은 척 다음 수업 준비를 했다.

오늘은 5교시라 다행이었다. 가방을 미리 챙겨뒀기 때문에 수업이 끝나면 가방을 들고 뒷문으로 뛰어나갈 생각을 하며 칠판보다 손목시계를 더 많이 본 것 같았다.

종례가 끝나자 나는 친구들에게 '내일 만나!' 크게 인사하고 가방을 메고 교실을 뛰어나갔다. 학교에서 지체하면 심해지는 감기로 인해 갑자기 말이 안 나올 것만 같아, 뛸 수 있는 최고의 속도로 정문을 지나쳐 나왔다.

"아 힘들다."

나도 모르게 나온 말에 너무 놀라 입을 가렸지만, 아직 목소리가 나온다는 사실에 기뻤다.

"계속 말할 수 있으면 좋겠다."

다시 조심스레 소리를 냈다. 귀로 들리는 목소리를 들으며 내 목소리가 이렇게 좋았던가 싶었다. 앞으로 말을 할 수 있게 된다면, 소중한 목소리니까 좋은 말들 많이 해야겠다는 생각도 했다.

그때 갑자기 큰기침이 튀어나왔다. 숨쉬기도 힘들 정도로 계속되던 기침이 끝나갈 즘, 몸속에서 무언가 튀어나오는 느낌이 들었다. 기침으로 인해 흘린 눈물을 닦던 나는, 계속 튀어나오던 기침이 잠잠해진 것을 느꼈다. 기분도 상쾌한 것 같아 당장 소리 내 보고 싶었지만, 잔기침이 남아있어 혹시나 하는 마음으로, 집을 향해 다시 뛰어갔다.

아파트에 도착해 초조하게 엘리베이터가 도착하기만을 기다렸다.

이웃을 만나게 돼서 대화하다 기침이 다시 날 수도 있으니, 아무도 만나지 않길 바라며 열린 엘리베이터를 급하게 타고 버튼을 눌렀다.

엘리베이터에 타서도 층수를 나타내는 숫자를 초조하게 보던 나는 '7'이란 숫자가 보이자 심장이 두근거리는 게 느껴졌다. 곧이어 엘리베이터 문이 열리자 복도 끝의 우리 집 현관까지 또다시 뛰었다. 거친 숨을 쉬면서 급하게 현관을 열고 집안으로 들어서자,

"성재 왔어?"

여전히 환하게 웃어주는 새엄마의 얼굴을 보자 눈물이 날 것만 같았다.

"엄마!"

어디서 그런 용기가 났는지, 나는 새엄마를 처음으로 엄마라고 부르며 꼭 끌어안았다. 잠시 놀란 듯 멈칫하던 엄마의 팔이 나를 안았다. 나의 등에 닿는 손길이 부드러워 기분이 좋았다.

"우리 성재, 무슨 일 있었어?"

"죄송해요."

"응?"

"2학년 때 엄마에게 함부로 말했던 거…."

울먹이느라 발음이 웃겼지만, 나는 그동안 하고 싶었던 말들을 쏟아냈다.

"사실은 난 엄마가 좋은데, 그동안 마음에도 없는 말을 했어요."

"……."

말이 없는 엄마에 마음이 조금 불안했지만 그래도 하고 싶었던 말

을 전했다.

"엄마한테 상처를 줘서 미안했어요. 그리고 사랑해요."

나를 좀 더 안아준 엄마는 눈물이 멈출 즈음 나를 품에서 떼어 눈을 마주쳤다.

"엄마도 아들 사랑해. 나도 지금껏 이 말을 못했어."

울음에 숨이 차 거칠게 몰아쉬니, 엄마가 내 눈물을 손으로 쓱 닦아 주었다.

"고마워. 마음을 얘기해 줘서."

엄마는 다시 나를 꼭 안아주었다. 그때 속에서 간질간질하던 잔기 침이 사라지는 것이 느껴졌다.

'정말, 내가 말 못 하는 병에 걸렸던 걸까?'

잠시 의심이 들기도 했지만, 나는 따뜻한 엄마 품이 좋아 그저 더 파고들었다.

아이와 어른이 함께 읽는 단편 동화집

스무 개의 동화 간이역

초판발행   2024년 2월 5일

지은이   김신애 박지은 송민정 김가영 박미리 이수혜 조민정 서영지 최진희 함유정
          권대성 정진아 우 렁 임연아 白,달밤 임초롱 안시우 조미소 고현서 변민영

발행인   임영진
책임편집   김원섭
펴낸곳   이오앤북스-아이
          ('이오앤북스-아이'는 이오앤북스 출판사의 단편 동화 부문 임프린트입니다.)
출판등록   제 2023-000037호
주 소   [13487] 경기도 성남시 분당구 대왕판교로 645번길 12
          경기창조경제혁신센터 7층 42호
대표전화   070-8919-8387   팩 스   031-601-6333
이메일   eonbooks@naver.com
홈페이지   www.eonbooks.co.kr
블로그   blog.naver.com/eonbooks
인스타   @eonbooks

ISBN 979-11-982203-6-3 (73810)